완전히 낫는 단 하나의 방법

허리통증
아디오스

완전히 낫는 단 하나의 방법

허리통증 아디오스

정해중 지음

허리 통증에게 작별을 고하는
5단계 운동법

바른북스

A >> **D** >> **I** >> **O** >> **S**

AWARENESS   DEBUG   INPUT   OUTPUT   STRONG

adiós

1. 작별할 때 안녕!, 안녕히 가십시오!

《민중서림 엣센스 스페인어 사전》

아디오스adios는 신에게로A Dios: To God라는 말에서 파생된 단어입니다. 한동안 보지 못하는 사람과 작별인사를 할 때 '신의 가호가 있기를.'이라는 의미로 쓰이는 인사말입니다. 가벼운 작별인사말이라기보다는 정중하고 세련된 표현으로 쓰입니다. 이 책은 지긋지긋한 허리통증에게 작별인사를 하는 방법에 대해 쓰였습니다.

여러분은 허리가 아프면 어떤가요? 불편하고 괴롭고 짜증납니다. 일상생활이 불편한 것은 물론이고 조금만 움직이려고 해도 아파서 아무것도 할 수 없는 상태가 됩니다. 세상에서 내가 제일 불행한 사람이 되고 당장 통증을 없애버리고 싶은 마음뿐일 겁니다. 그래서 허리통증에게 이렇게 외칩니다.

"당장 꺼져!"

당장 통증을 없애준다는 병원을 수소문해서 찾아가서 스테로이드 주사를 맞기도 하고 마약 성분의 진통제를 복용하기도 합니다. 하지만 통증은 잠깐 사라질 뿐 시간이 지나면 재발합니다. 근본적인 원인을 고치고자 MRI를 찍고 디스크를 수술하기도 하고, 염증이 있는 부분을 제거하는 시술을 하기도 합니다.

그래서 허리통증이 없어졌나요?

통증은 당연히 없어집니다. 강력한 약물을 쓰거나 아픈 부분을 제거해 버리면 해당 통증은 빠르게 없어집니다. 다시 질문해 보겠습니다.

허리통증이 완전히 개선되었나요?

지난 15년 동안 수많은 허리 아픈 사람들을 상담해 왔고 직접 재활운동을 직접 가르치는 일을 하고 있지만 허리통증을 없애는 방법으로 완전히 개선된 사람은 단 한 명도 보지 못했습니다.

통증이 일시적으로 사라질지는 몰라도 반드시 반복적으로 찾아옵니다. 어쩌면 찰싹 달라붙어서 평생 불편함과 함께 살게 될 것입니다. 통증은 쫓아낼 수 없는 것이고, 쫓아내서는 안 되는 것이기 때문입니다. '당장 꺼져'가 아닌 '세련된 작별인사'로 허리통증을 달래서 잘 떠나보내야 합니다.

하지만 우리 주변에는 당장 통증을 없애준다고 수많은 방법들이 유혹합니다. 쉽고 빠르다고 하고, 치료 효과를 과장하고, 심지어 환자를 속이는 경우도 있습니다.

이런 불상사가 일어나지 않으려면 방법은 하나뿐입니다. 허리통증의 근본적인 원리를 알아야 합니다. 왜 통증이 발생하는지, 허리의 어떤 부분을 개선해야 하는지 명확하게 알아야 합니다. 그래야 나에게 맞는 효과적인 해결책으로 허리통증을 어르고 달래서 잘 떠나보낼 수가 있습니다.

허리통증의 근본적인 원리를 바탕으로 책에서 제시하는 해결책은 운동입니다. 허리통증으로 안 해본 치료가 없는 사람들은 잘 알 겁니다. 치료만으로는 해결이 안 되고 반드시 운동을 해야 완전히 개선될 수 있다는 것을 잘 알고 있습니다. 하지만 문제가 있습니다. 운동하다가 통증이 악화되는 경우가 생깁니다. 어느 정도 나아지는 것 같다가 다시 불편함이 시작되면 누구나 짜증 납니다. 내 허리는 운동을 하면 안 된다고 스스로 판단하고 운동을 포기하게 됩니다. 다시 허리통증에게 "당장 꺼져!"라는 인사를 하려고 이곳저곳 수소문을 합니다.

사실 이보다도 더 큰 문제는 운동이 아무런 효과가 없는 경우입니다. 나름대로 운동을 열심히 하는데 통증이 나아지지 않으니 짜증납니다. 적당히 나아진 거 같기는 한데 완전히 나아진 느낌은 전혀 없습니다. 그렇게 허리통증은 해결되지 않는 불치병이 됩니다. 이런 불상사가 일어나지 않게 운동의 방향과 방법을 확실하게 해야 합니다. 특히 아픈 사람들이 회복을 목적으로 하는 재활운동을 그렇게 해야만 효과가 있습니다.

이렇게 통증, 허리, 운동 세 가지의 근본적인 원리를 기반으로 ADIOS 운동을 만들었습니다. 이것도 하고 저것도 하는 게 아니라 꼭 필요한 운동으로 심플하게 구성했습니다. 기초운동부터 심화운동까지 5단계의 체계적인 과정을 한 단계씩 밟아간다면 완전히 허리통증을 개선할 수 있을 거라고 장담합니다.

더욱 효과적으로 운동 방법을 전달하기 위해 QR코드로 운동 영상을 제공합니다. 올바른 동작은 어떻게 해야 하는지, 많은 사람들에게서 나타나는 잘못된 동작의 예시를 영상으로 알려드립니다. 글과 그림만으로는 잘 이해가 되지 않는 동작을 움직이는 영상으로 보면 훨씬 잘 이해가 될 거라 믿습니다.

마지막은 ADIOS 운동 전략입니다. 운동을 해보셨다면 잘 아실 겁니다. 쉽게 체력이 좋아지거나, 빠르게 근육이 생기지 않는다는 것을 경험하셨을 거라 생각합니다. 게다가 운동하는 사람은 건강한 사람이 아니라 허리가 아픈 사람입니다. 운동 효과는 더욱 더디게 됩니다. 그래서 대충 따라 해서는 안 되고 전략적으로 운동을 해야 합니다. 여기까지가 이 책에서 말하고자 하는 세련된 작별인사입니다.

이 책을 통해 만난 여러분에게 한 가지 묻고 싶습니다.
적당히 낫고 싶나요? 완전히 낫고 싶나요?

이 병원 저 병원 헤매고 다니면서 의심하지 않아도 됩니다.
병원에서 대기번호를 세면서 1시간씩 기다리지 않아도 됩니다.
허리 아픈 증상을 인터넷 커뮤니티에 물어보지 않아도 됩니다.

무거운 짐가방을 거리낌 없이 들어 올릴 수 있습니다.
허리 때문에 관뒀던 골프, 테니스를 얼마든지 할 수 있습니다.
사랑스러운 자녀와 손자를 번쩍 안아 올릴 수 있습니다.

여러분의 자유롭고 행복한 삶을 진심으로 응원합니다.

허리통증
아디오스

목차

서문

에필로그

1장

궁리

궁리(窮理)

사물의 이치를 깊게 연구함

마음속으로 이리저리 따져 깊이 생각함. 또는 그런 생각.

〈표준국어대사전〉

통증은 왜 치료가 안 될까?

12년 전인 2010년 당시 제 자신감은 하늘을 찌르고 있었습니다. 스포츠의학sports medicine을 전공하고 석사학위도 받았고, 프로 선수들의 재활을 담당하는 당대 최고의 재활운동센터에서 수년간 근무하면서 실무도 다졌고, 각종 세미나도 다니면서 최신 이론을 익혀가면서 공부도 할 만큼 했다고 생각했습니다. 신체의 모든 체계를 알고 있으며 통증 및 부상을 어떻게 관리해야 하는지 누구보다도 잘 알고 있다고 믿었습니다. 2011년 역도 대표팀 의무트레이너medical trainer로 발탁되어 태릉선수촌에 입촌하게 되면서 재활 트레이너 커리어의 정점을 찍게 되었습니다.

가까이에서 본 역도 선수들의 훈련량은 엄청났습니다. 올림픽에 출전하여 단 한 번 무게를 들어 올리기 위해서 매일 피와 땀을 흘려가며 열심히 훈련합니다. 자신이 들 수 있는 한계에 가까운 바벨을 들어 올리면서 손바닥은 굳은살이 생기고 찢어지는 일이 다반사입니다. 역기를 목에 얹는 용상 동작을 하면서 호흡곤란으로 기절하는 경우도 있습니다. 단순 비유가 아니라 실제로 피와 땀을 흘려가면서 신체를 극한까지 끌어올리는 엄청난 훈련을 합니다.

선수들의 부상 레포트를 작성하려고 하루에 중량을 얼마나 들어 올리는지 계산해 보게 되었습니다. 역도 선수들은 적으면 5톤, 많으면 10톤을 들어 올리면서 매일 훈련하고 있었습니다. 무거운 중량을 드는 엄청난 훈련량으로 크고 작은 통증과 부상은 너무나도 당연했습니다.

선수들이 부상을 당하게 되면 치료하기 위해 병원을 찾아갑니다. 부상 상태에 따라 특화된 병원으로 연락해서 진료예약을 합니다. 이때 선수들과 같이 병원에 동행해서 어디에 통증이 있는지, 어떤 동작에서 통증이 발생하는지, 언제부터 통증이 시작되었는지를 상세히 설명해서 더욱 효과적인 진료를 받는 것이 재활 트레이너의 업무 중 하나였습니다. 국가대표 선수들을 신체가 가장 큰 자산이기 때문에 아주 정확하고 디테일하게 진료와 치료를 받았습니다. 의학적으로는 아무 손색이 없는 완벽한 치료였습니다. 하지만 선수들의 부상은 나아지지 않았습니다. 심지어 아무런 효과가 없는 경우도 많았습니다.

대한민국에서 내로라하는 병원에 가서 의학적으로 증명된 최신 치료를 받아도 마찬가지였습니다. 완치가 되는 경우는 제로였습니다.

병원에서 처방받은 대로 약을 먹고, 선수촌 내에서 매일 물리치료를 받고, 정기적으로 주사치료를 받아도 마찬가지였습니다. 훈련을 다시 시작하게 되면 통증은 점점 악화되어 갔습니다.

선수마다 비슷한 부위의 통증이 지속되었고 고질적인 부상으로 선수생활을 그만두기도 했습니다. 저와 선수들 그리고 코치님, 감독님까지도 통증이 완치되는 것은 불가능한 것이라고 단정 지었습니다. 신체의 모든 것을 해결할 수 있다는 제 자신감은 완전히 무너지게 되었습니다.

국가대표 선수들은 1년간의 경기 일정이 마무리되면 선수촌을 퇴촌하고 다음 시즌을 시작하기 전에 1-2개월 휴식기를 갖게 됩니다. 휴식을 마치고 다시 돌아온 선수들에게 물어보면 시즌 중에 통증은 나아졌다고 했습니다. 휴가기간 동안 아무런 치료를 받지 않고 맛집 투어하면서 여행 다니기만 했는데 완치가 되었다고 했습니다. 통증은 치료해야 없어지는 건지, 그냥 쉬어야 없어지는 건지 더 혼란스러워졌습니다. 그냥 쉬면 낫는 건데 괜히 치료만 하는 게 아닌지, 치료가 통증에 정말 도움이 되는 건지, 아예 수술을 해야 완전하게 좋아지는 건지 모든 게 의심이 되기 시작했습니다.

다시 새로운 시즌이 시작됩니다. 점점 훈련량이 많아지게 되면 선수들은 같은 부위, 같은 증상으로 통증을 호소합니다. 어떤 선수는 10년간 똑같이 반복된다고 하며 선수생활을 그만두지 않는 이상 절대 낫지 않는 것이라고 했습니다. 선수생활을 해봤던 코치님도 같은 의견이었습니다. 자기가 선수생활 했을 때도 그랬고 선수들을 지도하면서도 마찬가지라고 했습니다. 어떤 부위가 약한 것은 타고난 것이며 그 부분은 선수생활을 하는 내내 계속 아플 수밖에 없는 숙명이라고 했습니다. 저도 마찬가지의 결론을 내렸습니다. 사람마다 유전적으로 타고난 기질이 있으며 약한 부분에 통증은 반복된다고 단정 지었습니다.

이를 근본적으로 해결할 수 있는 방법이 있는지 없는지 전혀 알 수가 없었습니다. 분명한 것은 의학적인 치료나 단순한 휴식만으로는 절대 해결되지 않는다는 것을 알게 되었습니다.

국가대표 선수들보다
더 아픈 사람들

2013년에는 우연한 기회로 판교에 있는 '삼성테크윈'이라는 회사에 파견근무를 하게 되었습니다. 사내 직원들의 근골격계 질환을 개선하고자 설립된 재활운동센터였습니다. 그동안 다양한 선수들을 만났고, 수많은 케이스를 재활시키고 복귀시킨 경험이 있어서 일반인은 굉장히 쉬울 거라고 생각했습니다. 하지만 쉬운 게 아니라 달랐습니다.

운동선수는 훈련이나 경기 중에 큰 충격을 받아 다치는 급성으로 생기는 문제였지만 사무직은 하루종일 앉아 있어서 생기는 만성질환이었습니다. 센터가 열리자마자 감당할 수 없을 정도로 문의가 폭주

하였고 많은 사람을 상담하게 되었습니다. 다들 허리와 목은 기본적으로 아픈 것이라고 했고 어깨, 무릎, 손목 등 운동선수보다도 훨씬 다양했습니다. 국가대표 선수들은 코칭스태프가 옆에서 지켜보고 치료 방안에 대해 조언을 해주지만 일반인은 그렇지 않으니 더 심각하게 망가진 사람들을 보며 놀라울 따름이었습니다.

허리통증으로 10분을 채 걷지 못해서 출근길에 몇 번씩 주저앉았다가 겨우겨우 출근한다는 사람, 뒷목이 너무 아파서 안 받아본 치료가 없는데도 낫지 않아서 우울증이 왔다는 사람, 골프 치다가 어깨를 다쳐서 수술했는데 팔이 아예 올라가지 않아 머리도 못 감는다는 사람 등 말 그대로 아비규환이었습니다.

'이 사람들 바본가? 이 지경이 될 때까지 왜 내버려 둔 거지?'

삼성테크윈은 연구개발이 주업무인 만큼 대부분 학벌이 엄청났습니다. 말로만 들어왔던 MIT 공대 박사 출신도 만나봤습니다. 대한민국에서 내로라하는 엘리트들이었지만 정작 자신의 몸이 왜 아픈지 몰라서 스스로 병을 키우고 있었습니다. 간단하게 해결될 통증을 만성질환으로 키우고 있는 게 현실이었습니다. 이러한 문제를 상담과 재활운동교육을 통해서 좋은 방향으로 이끌어 주는 업무를 했습니다. 회사에서 가끔씩 직원들과 마주치게 되면 안부를 물었습니다.

정선생 : 요즘은 좀 어때요?
직원 : 많이 좋아지긴 했는데 여전히 불편해요.

간단한 통증들은 완전히 해결되었지만 고질적인 만성통증은 쉽게 해결이 되지 않았습니다. 제가 할 수 있는 모든 방법을 총동원해도 마찬가지였습니다. 또다시 벽에 부딪혔습니다. 일반인은 쉽게 할 수 있다는 생각은 큰 오산이었습니다. 스스로 한계를 느끼게 되었고 조금 더 공부하고 싶다는 생각이 들었습니다. 당시 곧 첫째 아이를 출산할 계획이어서 육아휴직을 핑계 삼아 퇴사했습니다. 그리고 반년 동안 백수생활을 하며 다시 공부를 시작했습니다.

신체를 이해하려면 다양한 학문을 접해야 합니다. 손상과 치유과정을 알기 위한 기초생리학basic physiology, 근육과 뼈를 이해하기 위한 기능해부학functional anatomy, 관절운동의 역학적 분석을 위한 운동학kinesiology 등 다양한 부분을 공부하고 이 학문들을 응용해야 합니다. 그 당시 국내엔 재활운동에 대한 자료가 부족해서 해외 논문이나 서적을 위주로 찾아봐야 했습니다. 하지만 이것만으로는 부족합니다. 이론은 이론일 뿐 실무에서 어떻게 적용되는지 알아야 합니다. 그래서 논문보다도 앞선 최신 동향을 파악하기 위해 해외 유명 치료사들의 블로그 포스팅을 보면서 그들의 견해를 살펴봤습니다.

그러다 우연히 페이스북에서 '정형물리치료실'이라는 그룹을 알게 되었습니다. 운영자인 제레미아 선생님은 시카고에서 물리치료를 하시는 한인입니다. 이곳은 완전 신세계였습니다. 물리치료계의 새로운 정보와 이슈들을 누군가 포스팅하면 댓글로 토론을 펼치면서 서로의 견해를 교환했습니다. 여기서 얻은 인사이트는 책이나 논문으로는 얻을 수 없는 아주 값진 것이었습니다. 특히 제레미아 선생님은 다양한 관점으로 쉽게 풀어서 설명해 주셔서 이해하는 데 엄청난 도움이 되었습니다. 난생처음으로 공부가 재밌다고 생각하던 시기였습니다. 어렴풋이 알고 추측했던 것들을 좀 더 구체적으로 알게 되면서 그동안의 많은 의문들이 하나씩 풀리면서 공부의 희열을 느끼던 시기였습니다. 자신감을 다시 회복하게 되었고 다시 현장으로 복귀하고 싶었습니다. 그렇게 선택한 것이 퍼스널 트레이너personal trainer입니다.

완전히 낫기 위한 두 가지 원칙

2015년 7월 강남구 논현동에 있는 리츠칼튼 호텔에서 PTpersonal training를 시작하게 되었습니다. 호텔 피트니스는 멤버십 회원권은 가격이 고가이다 보니 일반 피트니스클럽에 비해 회원들의 연령대가 높습니다. 회원들이 운동하는 목적은 멋진 몸매를 가꾸기 위함이 아니라 아프지 않고 건강한 신체를 위해 운동하는 사람이 대부분이었습니다. 그래서 제 전문분야인 재활운동은 회원들에게 좋은 평가를 받게 되었고 퍼스널 트레이너로 자리를 잘 잡을 수가 있었습니다.

　그동안의 공부와 경험을 바탕으로 회원들의 통증이라는 문제를 해결해 주었습니다. PT를 시작한 회원들은 빠르게는 하루 만에 해결되었고 1-2개월 열심히 하면 통증은 어느 정도 해소가 되었습니다. 회원들은 큰 불편함이 사라지게 되면 PT는 빈도가 줄어들면서 자연스럽게 종료됩니다.

문제는 시간이 지나고 나서 같은 증상으로 다시 찾아옵니다. 회원은 분명 다 나은 거 같았는데 다시 재발했다고 합니다. 다시 PT를 시작하게 되면 이전의 학습 효과 덕분에 증상은 더욱 빠르게 개선됩니다. 다시 PT는 흐지부지하게 되고 증상은 다시 발생하게 됩니다. 국가대표 운동선수들과 삼성의 연구원들과 동일합니다. 계속 통증이 반복되는 것입니다.

'어떻게 해야 일시적이 아닌 근본적인 개선이 될까?'

풀리지 않는 난제를 만난 기분이었습니다. 지금까지 공부하고 경험했던 모든 방법을 동원해도 일시적이었습니다. 이론적으로 알고 실무적으로 능숙해져도 통증을 빠른 시간내에 개선하는 것은 명확하게 알았지만 완전히 개선되지는 않았습니다. 이를 위한 더 근본적인 해결책이 필요했습니다. 이렇게 풀리지 않던 문제는 한 회원을 레슨하면서 풀리게 되었습니다.

이 회원은 모 그룹의 C 회장님입니다. 2015년부터 지금까지 8년 동안 PT를 했습니다. 주 2-3회씩 꾸준히 했으니 레슨 횟수는 1,000회 이상 했고, 지금까지 레슨비용으로 지출한 금액은 1억 5천만 원 이상일 것입니다.

처음 만났을 때는 굉장히 유연성이 저하되어 팔을 위로 들어 올리지 못했습니다. 머리를 감을 때는 물론이고 드라이할 때도 양손이 자유롭지 않아서 굉장히 불편하다고 하셨습니다. 팔이 등 뒤로 넘어가지 않으니 외투를 입을 때도 누군가 잡아주지 않으면 힘들다고 하셨습니다. 어깨관절이 굳어지는 오십견입니다. PT를 시작하고 이 부분을 중점적으로 트레이닝했습니다. 몇 개월이 지나고 쉽게 만세가 될 정도로 좋아졌습니다.

어깨는 완전히 나았지만 컨디션을 관리하고 건강을 유지하기 위해 지속적으로 PT를 받으셨습니다. 8년이라는 시간 동안 허리, 목, 어깨, 손목 등 크고 작은 통증이 있었습니다. 모두 운동을 통해 해결했고 70살이 넘은 지금도 또래의 누구보다도 에너지가 넘치십니다. 골프 라운딩을 나가면 일행분들이 깜짝 놀랄 정도로 장타자라고 하십니다. 이분께서 이런 말씀을 하셨습니다.

"정선생, 이제 병원에 갈 필요가 없어."

제가 듣는 최고의 칭찬 중 하나입니다. 매주 몸 상태를 체크하고 통증이 나타나기 전부터 그에 맞는 조치를 하기 때문에 중증으로 이어지지 않아서 병원에 갈 필요가 없다고 말씀하신 것입니다. ○○ 대학교병원의 VVIP이심에도 불구하고 정기 건강검진 외에는 병원에 갈 필요성을 못 느끼신다고 했습니다. C 회장님을 장기간 PT를 하면서 풀리지 않을 것만 같았던 문제의 답을 찾았습니다. 답은 의외로 단순했습니다.

제대로, 꾸준히 하는 것.

국가대표 역도 선수들은 부상이 발생하면 며칠간 휴식과 치료를 받으면서 재활을 합니다. 완치되기도 전에 어느 정도 통증이 경감되면 다시 역도 훈련에 돌입합니다. 시합 일정에 맞춰 훈련을 하지 못하면 시합 때 중량을 들어 올리지 못하고, 기대했던 성적을 거두지 못하면 선수촌에서 퇴촌하게 되는 압박감으로 다시 훈련에 돌입하는 것입니다. 그래서 부상 부위가 완전히 회복되지 않은 채로 역도 훈련을 해서 반복적으로 다치게 되는 것입니다. 부상 부위를 정밀하게 진단하고 꾸준하게 재활운동을 해야 회복하게 됩니다. 또한 부상의 가장 근본적인 원인을 찾아서 제대로 개선해야 완전히 회복할 수가 있습니다. 하지만 시합 일정상의 이유로 그렇게 하지 못했습니다. 결국 반복적인 부상을 당하게 되었습니다.

삼성 연구원들은 야근과 주말에 출근하는 것은 기본이었습니다. 항상 바쁜 일정에 쫓기는 연구원들을 정기적으로 레슨하는 것은 불가능했습니다. 통증이 어느 정도 나아진 사람들은 스스로 할 수 있는 프로그램을 교육하고 돌려보냈습니다. 지금 다시 돌이켜 보면 충분하게 운동교육을 하지 못한 제 불찰입니다. 결과적으로 통증은 완치가 되지 않았고 적당히 어느 정도 좋아질 뿐이었습니다.

PT를 했던 회원들도 마찬가지였습니다. 지속적으로 레슨을 받으려면 레슨비가 계속 발생하게 되어 부담스럽고, 일주일에 2시간씩 시간을 내기가 쉽지 않습니다. 초기에는 통증이 심해서 열심히 하지만 어느 정도 나아지게 되면 소홀해지게 됩니다. 레슨하는 시간 동안은 제대로 운동을 했어도 꾸준히 하지 않고 흐지부지되면 통증은 재발하게 됩니다.

반면에 정말 꾸준히 하는 사람들도 있습니다. 피트니스클럽에서 근무를 하다 보면 하루도 빠짐없이 매일 오는 진정한 노력파들이 있습니다. 그렇다면 이분들은 하나도 아프지 않고 건강한 상태일까요? 절대 그렇지 않습니다. 너무 가벼운 중량으로 운동하거나, 너무 무거운 중량으로 운동하거나, 잘못된 자세를 계속 반복하거나, 허리에 좋지 않은 운동을 계속하게 되면 꾸준히 하는 것이 오히려 역효과가 납니다. 실제로 물어보면 다들 이렇게 대답합니다.

> 정선생 : 안녕하세요. 정말 열심히 하시네요!
> 회원 : 그냥 열심히 매일매일 하는 거죠.
> 정선생 : 허리가 좋지 않아서 이 운동을 하시는 것 같은데,
>   어떠세요?
> 회원 : 허리는 원래 한 번 다치면 안 나아요.
>   열심히 운동해야 그나마 덜 아파요.

바쁜 시간을 쪼개서 매일 2시간씩 열심히 운동을 해도 제대로 하지 않으면 절대 완치되지 않습니다. 아무런 체계 없이 애매하게 한다면 애매한 결과뿐입니다.

15년 동안 국가대표 선수부터 90세 어르신까지 수많은 사람들을 가르쳐 왔습니다. 아무리 제대로 레슨을 해도 꾸준히 하지 않으면

일시적이었습니다. 정말 꾸준히 해도 제대로 하지 않으면 마찬가지입니다. 외람되지만 딱 한 번만 레슨해 보면 이 사람이 나을지 안 나을지 알 수가 있습니다. 그 기준은 제대로 할 준비가 되어 있는지, 꾸준히 할 자세를 갖췄는지의 차이입니다. 이 차이가 평생 아프면서 끙끙대는 삶을 살아갈지, 아프지 않고 행복한 삶을 살아갈지를 가르게 됩니다.

원칙을 지키면
누구나 완전히 낫는다

2017년도부터 삼성동에 있는 코엑스 인터컨티넨탈 호텔에서 퍼스널 트레이너로 근무하고 있습니다. 앞장에서 말씀드린 C 회장님이 이곳에서 8년째 PT를 이어가고 있는 중입니다. 이곳에서 근무하면서 회원들을 장기간 동안 레슨할 수 있는 행운이 따랐습니다. 나이, 성별, 체력 수준이 다른 다양한 회원들을 4-5년씩 레슨을 하게 되면서 '제대로'와 '꾸준히'가 답이라는 확신이 생기게 되었습니다. 저조차도 반신반의했던 증상들이 개선되는 모습을 관찰하며 스스로 놀라게 되었습니다.

L 대표님은 오래전부터 허리가 좋지 않았고 수많은 병원을 다니면

서 안 받아본 치료가 없다고 했습니다. 명쾌한 답을 찾지 못했고 통증이 심할 때는 주사치료를 받고 정기적으로 도수치료를 받으면서 무리하지 않는 게 가장 최선책이라고 생각했다고 합니다. 아무런 기대 없이 PT를 시작하게 되었지만 시간이 지날수록 허리통증은 점점 좋아지게 되었습니다. 허리 아파서 병원에 가지 않게 되었고 앞으로도 가지 않을 생각이라고 합니다. 운동을 제대로, 꾸준히 하면 허리가 완전하게 나을 거라는 확신이 생겼다고 합니다.

J 대표님은 골프 마니아입니다. 주 4-5회 골프 라운딩을 다니는 바쁜 일정을 소화할 만큼 체력이 좋습니다. 하지만 고질적인 허리통증이 있었고 이를 개선하고자 PT를 하게 되었습니다. 주 3회씩 레슨을 할 정도로 아주 열정적이시고 운동도 열심히 하시는 분입니다. 어느 날 너무 기분 좋은 일이 있다고 하셨습니다. 나이가 들면 자연스럽게 키가 줄어드는데 이번에 정기 건강검진을 하면서 키를 측정하니 커졌다고 했습니다. 허리 재활운동을 하면서 자연스럽게 자세가 좋아지게 되면서 키가 커지게 된 것입니다. 무너진 허리뼈가 바로잡히게 된 결과이고 통증도 당연히 사라졌습니다.

H 부회장님은 다리가 저리면서 무겁게 느껴지는 좌골신경통 증상이 있었습니다. 병원에서 MRI를 찍어보니 퇴행성 허리디스크, 척추관 협착증으로 인한 저림 증상이라고 했습니다. 병원에서 수술을 권유했고 며칠 후에 수술을 한다고 했습니다. 수술을 미루고 운동을 한번 열심히 해보고 나서 결정하자고 말씀드렸습니다. 다행히도 이를 수락하셨고 본격적으로 허리 재활운동을 시작하게 되었습니다. 몇 주 동안 꾸준히 운동을 하면서 다리 저림 증상이 점차적으로 호

전되었습니다. 그러다 어느 날 다리 저림 증상이 완전히 사라졌다고 하셨습니다. 하루종일 회의실에 앉아 있고, 차를 타고 지방으로 출장도 자주 다니고, 매 주말마다 골프를 다니시지만 더 이상 다리가 저리지 않는다고 하셨습니다.

Y 학생은 20대로, 회원님의 자녀입니다. 컴퓨터 게임을 좋아하고 실력은 프로게이머 뺨치는 수준입니다. 12시간 동안 움직이지 않고 게임을 할 수 있다고 자신 있게 말했습니다. 고등학생 때부터 오랫동안 앉아 있으면 허리에 뻐근한 통증이 있었다고 합니다. 어느 날 아무 생각 없이 의자에서 일어났는데 갑자기 엄청난 통증으로 주저앉았다고 합니다. 바로 응급실에 실려 가게 되었고 급성 허리디스크 파열 진단을 받았습니다. 바로 병원에 입원하게 되었고 수술은 하지 않고 치료만 받고 퇴원했다고 합니다. 완전히 나아진 상태가 아니라서 PT를 시작하게 되었습니다. 처음 만났을 때 허리통증도 문제였지만 심각한 문제는 오른쪽 발등의 감각이 없었습니다. 약 4개월 동안 꾸준히 레슨을 했습니다. 그 결과 허리통증은 완전히 나아지게 되었습니다. 그리고 발등의 감각도 완전하게 돌아왔습니다.

제대로 꾸준히 하면 됩니다.

누구든지 지긋지긋한 허리통증을 100% 개선할 수 있습니다. 절대 안 된다고 생각하고 있었던 통증도 개선이 되었고, 수술해야 된다는 질환도 개선이 되었고, 저림 증상과 함께 감각이 마비된 것도 돌아왔습니다. 제대로 된 방법으로 꾸준히 하면 누구나 가능합니다.

하지만 현실은 어떨까요? 우리 주변에서는 수많은 방법들이 빠르고 쉽다면서 끊임없이 유혹합니다. 즉각적으로 치료할 수 있고, 어렵지 않고, 힘들이지 않고도 완치될 수 있다고 달콤한 말로 유혹할 것입니다. 당장 허리가 너무 아파서 옴짝달싹하지도 못하는 환자들은 간절한 마음에 순식간에 유혹에 넘어갑니다.

무슨 치료를 하든 간에 통증은 순식간에 없어지게 될 것입니다. 문제는 통증이 다시 재발하는 것입니다. 근본적인 원인이 개선되지 않으면 통증이 재발하는 것은 시간문제입니다. 통증만 치료하는 것은 임시방편에 불과합니다.

단언컨대, 허리통증이 정말 완전히 낫고 싶다면, 제대로 하고 꾸준히 하는 방법밖에 없습니다. 이를 위해선 허리통증에 대해 명확하게 알고 구체적인 해결책이 있어야 합니다. 그래야 제대로 할 수 있고, 꾸준히 할 수가 있습니다. 그러면 누구나 허리통증은 완치됩니다. 이 책을 통해 여러분의 지긋지긋한 허리통증이 완전히 치료해 보시기 바랍니다.

허리통증과 세련된 작별인사를 하러 한 걸음씩 나아가 보겠습니다.

2장

통증

통증의 이유를 알아야
완전하게 치료할 수 있다

> **통증**(痛症)
>
> 1. 아픈 증세.
>
> 〈표준국어대사전〉

    통증의 사전적 정의는 간단합니다. 이 책의 핵심 주제인 '허리통증'은 허리가 아픈 증세입니다. 이 아픈 증세로 인해 우리가 느끼는 감정은 짜증 나고 불편하고 괴롭고 우울해지게 됩니다. 특히 허리통증은 더더욱 그렇습니다. 팔이나 다리가 아프면 조금 덜 쓰면 됩니다. 왼팔이 아프면 오른팔을 쓰고, 오른쪽 다리가 아프면 왼쪽 다리를 더 쓰면 됩니다.

    하지만 허리통증은 그럴 수가 없습니다. 허리를 쓰지 않고 몸을 움직이는 것 자체가 불가능하기 때문입니다. 허리가 아프게 되면 앉아 있을 때도, 서 있을 때도 심지어 가만히 누워 있는데도 계속 불편함을 느끼게 됩니다. 통증이 심할 때는 몸을 조금이라도 움직이려고 하면 '윽'하는 신음소리가 절로 나올 만큼 엄청난 통증이 느껴지게 됩니다. 겪어본 사람이라면 굉장한 불편함이 있기 때문에 다시 이런 불상사를 겪지 않기 위해 조심합니다. 그래서 PT 문의 중에서도 허리 재활운동에 대한 의뢰가 가장 많습니다. 처음 회원을 만나게 되면 항상 이렇게 질문을 합니다.

> 정선생 : 왜 허리가 아프신 거 같나요?
> 회원 : 원래부터 허리가 안 좋아요.
> 정선생 : 언제부터 그렇게 느끼셨나요?
> 회원 : 예전에 다쳤어요.

대부분이 이렇게 대답합니다. 예전에 다쳐서 허리가 안 좋아졌다고 말합니다. 이것저것 다 해봤는데 신통치 않아서 운동이라도 해보려고 한다고 합니다. 또 다른 대답은 이렇습니다.

> 정선생 : 왜 허리가 아프신 거 같나요?
> 회원 : 허리디스크 진단받았습니다.

병원에서 허리디스크 진단을 받았고 이 때문에 계속 통증을 달고 산다고 대답합니다.

다시 생각해 봐야 합니다. 왜 허리가 예전부터 안 좋은지, 허리디스크가 왜 생겼는지를 다시 한번 생각해 봐야 합니다. 분명 안 좋아진 이유, 디스크가 생긴 이유가 있습니다. 그 원인으로 인해 통증으로 불편함을 느끼는 것입니다.

앞서 살펴본 국어사전의 정의인 아픈 증세 말고 더 깊은 통증의 의미를 살펴보기 위해 통증의 의학적 정의를 보겠습니다.

> **통증**
> 1. 실제 또는 잠재적인 신체 손상과 관련된, 불쾌한 감각이나 감정적 경험.
>
> 〈서울대학교병원 의학정보〉

의학적인 정의는 다소 어렵게 느껴집니다. 하지만 풀어서 살펴보면 어렵지 않습니다. 불쾌한 감각이나 감정적 경험은 앞서 살펴본 국어사전의 정의에서 살펴본 아픈 증세에 해당합니다. 그러면 아픈 증세가 나타난 원인을 실제 신체 손상과 잠재적인 신체 손상과 관련된 것으로 나눌 수가 있습니다. 이 둘이 어떤 의미인지 나눠서 보겠습니다.

1. 실제 손상

말 그대로 실제 손상이 일어난 경우입니다. 어떤 충격에 의해 허리의 근육, 인대, 신경, 디스크 등이 손상이 되어 통증이 발생하는 경우입니다. 실제 손상이 발생하게 되면 상처 부위에 염증반응이 생기게 되고 통증을 느끼게 됩니다.

2. 잠재적인 손상

잠재적인 손상은 실제 손상이 되지 않았는데 통증을 느끼는 것입니다. 의학적으로는 허리에 아무런 손상이 없는 상태입니다. 이때는 병원에 가서 검사를 해봐도 아무 이상을 발견할 수가 없습니다. 실제로 손상이 되지 않았기 때문입니다. 그럼에도 불구하고 통증은 비슷하게 발생하게 됩니다.

여러분의 허리통증은 실제 손상일까요? 잠재적인 손상일까요?

교통사고 또는 스포츠 경기에서 부상과 같은 큰 충격으로 갑자기 허리통증이 발생했다면 실제 손상이 일어났을 확률이 높습니다. 반면에 일상생활을 하면서 몸을 구부려서 무언가를 들다가 통증이 발생했다면 허리는 손상되지 않았을 확률이 높습니다. 이 정도로는 허리가 손상될 정도의 큰 충격이 가해지지 않기 때문입니다. 그런데 우리가 느끼는 아픈 증세는 똑같습니다. 손상되지 않았는데 아픈 증세가 나타나는 잠재적인 손상입니다.

허리에 실제 손상이 일어나게 되면 통증을 완화하고 치료를 위해 해당 부위를 적극적으로 치료해야 합니다. 그래야 통증이 경감되고 손상된 부분도 회복됩니다. 그런데 잠재적인 손상의 경우 통증을 완화하기 위해서 치료해야 할 손상된 부위가 없는 것입니다. 손상이 되지 않았으니까요.

　　　　잠재적인 손상으로 인한 통증을 어떻게 치료해야 할까요?

　먼저 왜 이런 일이 발생하는지를 알아보겠습니다. 일상생활에서 무의식중에 어떤 동작을 하다가 허리가 부담을 느끼게 됩니다. 이 순간 똑똑한 우리의 뇌는 재빠르게 위험을 감지합니다. 만약 동작이 계속된다면 허리에 부담이 커지게 되고 더 이상 버티지 못하게 되면 허리는 실제 손상이 발생하게 됩니다. 손상을 막기 위해 미리 뇌에서 위험을 감지하고 멈추라는 신호를 보냅니다. 이 신호가 통증입니다. 잠재적인 손상으로 아픈 증세가 나타나는 것입니다.

　결론적으로 통증은 실제 손상, 잠재적인 손상 모두 발생하게 됩니다. 발생하는 이유는 딱 하나입니다. 완전 손상이 되는 최악의 결과를 막기 위해서입니다. 허리가 완전히 손상되면 하반신이 마비가 됩니다. 아픈 것을 넘어서 움직이지도 못하는 상태가 됩니다. 이 정도로 상황이 악화되지 않기 위해 똑똑한 뇌는 최대한 이를 막아내는 것입니다. 그 신호가 바로 통증입니다. 통증은 손상이 일어나기 전에 우리 뇌에서 알리는 경고입니다.

> **경고**
>
> 1. 조심하거나 삼가도록 미리 주의를 줌. 또는 그 주의.

〈표준국어대사전〉

긴급상황에 발생하는 이 경고는 굉장히 강렬합니다. 그래야 우리가 즉각적으로 알아차리고 허리에 부담을 주는 행위를 중단할 수 있기 때문입니다. 이 강렬한 신호에 대한 우리의 느낌은 굉장히 좋지 않습니다. 아픈 증세 때문입니다. 이로 인해 짜증 나고, 불편하고, 괴로워지게 됩니다. 삶의 질은 계속 추락하게 됩니다. 통증으로 인한 부정적인 감정은 누구나 견디기 어렵습니다.

여기서 대다수는 잘못된 해결책을 씁니다. 통증을 없애는 것입니다. 당장 부정적인 감정을 없애고 편해지고 싶습니다. 치료를 받고 나서 통증이 없어지게 되면 우리는 착각합니다. 안 아프니까 이제 다 나았다고 판단하는 것입니다. 이는 더 좋지 않은 결과로 이어지게 됩니다. 잠재적인 손상이 실제 손상으로 이어지는 순간입니다.

손상이 안 된 경우(잠재적인 손상) → **손상이 된 경우**(실제 손상)

통증만 없애는 것은 뇌에서 보내는 경고를 차단하는 것입니다. 위험 상황임에도 느끼지 못하게 됩니다. 몸을 구부리거나, 무거운 물건을 드는 것과 같은 어떤 동작을 할 때 허리가 버티지 못함에도 불구하고 경고는 울리지 않으니 위험을 인지하지 못하게 됩니다. 동작을 계속하게 되고 허리 내부의 구조물은 실제 손상으로 이어지게 됩니다. 단순한 허리통증이 허리 질환disease으로 점점 악화되는 과정입니다.

허리가 실제로 손상이 되면 통증은 더 강렬하게 발생합니다. 이럼에도 불구하고 많은 사람들이 계속 통증을 차단하는 방법을 씁니다. 결국 돌이킬 수 없는 최악의 결과가 발생하게 됩니다. 허리가 완전히 손상되는 것입니다. 허리의 가장 안쪽에 있는 신경이 손상되게 됩니다. 그에 대한 결과는 하반신 마비입니다. 신경이 완전히 손상되어 다리의 감각을 잃어버리게 되는 것입니다. 손상된 신경에는 계속 염증이 생겨서 평생 동안 고통과 함께 살아가고 다리는 마비되어 질질 끌고 다니게 됩니다. 정상적인 생활이 불가능한 것은 물론이고 삶의 질은 끝없이 추락하게 됩니다.

잠재적인 손상 → 실제 손상 → 완전 손상

통증은 차단하는 것이 아닙니다. 아픈 증세로 짜증 나고, 불편하고, 우울해지더라도 무턱대고 차단만 해서는 안 됩니다. 어떤 문제가 있다는 것을 알려주는 경고 신호이고 귀 기울여 잘 듣고 대처해야합니다. 그래야 실제 손상과 완전 손상으로 이어지지 않습니다. 통증의 근본적인 원인이 무엇인지 알아보겠습니다.

통증은 무조건
발생할 수밖에 없다

우리가 일상적인 생활을 하는 동안 허리에 수많은 자극이 가해집니다. 이 자극이 가해지는 상황을 스트레스stress 상황이라고 합니다. 허리가 스트레스를 견디지 못했을 때 발생하는 경고가 통증입니다. 스트레스가 통증의 원인입니다. 이 스트레스에 대해 좀 더 알아보겠습니다.

> **스트레스**
>
> [물리] 물체가 외부 힘의 작용에 저항하여 원형을 지키려는 힘.
>
> 〈표준국어대사전〉

여기서 스트레스는 물리학의 개념입니다. 어떤 물체에 힘이 가해질 때 원형을 지키려는 힘이라고 설명하고 있습니다. 이때 가해지는 힘이 원형을 지키는 힘보다 크다면 물체는 손상이 됩니다. 반대로 원형을 지키는 힘이 가해지는 힘보다 크면 물체는 손상되지 않습니다.

이 책의 핵심개념이니 용어를 정리하겠습니다. 외부에서 가해지는 힘이 외력, 내부에서 원형을 지키는 힘이 저항력입니다.

외력 < 저항력

손상 X   손상 O

외력 > 저항력

두 힘의 관계에 따라서 물체의 손상 여부가 결정됩니다. 두 힘은 절댓값이 아닌 상댓값입니다. 작은 외력에도 손상이 될 수도 있고, 큰 외력에도 손상되지 않을 수도 있습니다. 이 외력과 저항력을 허리에 적용하면 이렇게 설명할 수가 있습니다.

외력 = 허리에 가해지는 힘
저항력 = 허리가 버티는 힘

허리를 구부리거나, 무거운 물건을 드는 동작 또는 미끄러져 넘어지거나, 불의의 교통사고를 당하는 것은 모두 외력에 해당합니다. 이때 허리 내부에 있는 근육, 인대, 뼈가 버티는 힘이 저항력입니다.

허리에 가해지는 외력이 저항력을 초과하게 되면 허리는 손상됩니다. 실제 손상이 발생하게 되고 당연히 경고 신호인 통증이 발생합니다. 또 다른 경우가 있습니다. 외력이 저항력을 초과하기 직전인 상태입니다. 실제 허리에 손상이 일어나진 않았지만 똑같이 통증은 발생하게 됩니다. 바로 잠재적인 손상으로 인한 통증입니다. 더 이상 외력이 가해지게 되면 손상되기 때문에 동작을 멈추라고 뇌에서 경고 신호를 보내는 것입니다. 이와 달리 외력의 크기가 저항력에 전혀 못 미치게 되면 통증은 발생하지 않습니다.

외력 > 저항력 = 통증 (실제 손상) 😵
외력 ≥ 저항력 = 통증 (잠재적인 손상) 😵
외력 < 저항력 = 통증없음. 😊

허리를 다치는 대표적인 순간을 예로 들어보겠습니다. 바닥에 있는 어떤 상자를 들어 올리는 상황입니다. 상자를 들어 올리기 위해서는 힘이 써야 합니다. 이때 허리에 가해지는 힘이 외력이고 버티는 힘이 저항력입니다. 상자를 들어 올리는 순간은 허리에 스트레스 상황이 되는 것입니다.

상자를 들어 올리는 데 필요한 힘이 100이라고 가정해 보겠습니다. 이 상자를 두 사람에게 들어보라고 하겠습니다. 건강한 허리를 가진 A는 허리 저항력이 200입니다. 평소에 허리가 좋지 않은 B는 허리 저항력이 50입니다.

상자
외력 100

A
저항력 200

B
저항력 50

A가 상자를 들어 올립니다. 외력보다 저항력이 크기 때문에 상자를 들어도 아무런 일이 일어나지 않습니다. B가 상자를 들어 올립니다. 힘을 쓰는 순간 외력이 50을 초과합니다. 뇌는 바로 위험을 감지합니다. 계속 상자를 들어 올린다면 저항력이 50이 초과되어 손상될 위험에 처하게 됩니다. 뇌는 바로 경고 신호를 보냅니다. 잠재적인 손상의 순간입니다. 우리는 이 현상을 허리가 삐끗했다고 표현합니다. 흥미로운 것은 이 외력과 저항력이 절댓값이 아니라는 것입니다. 같은 상황, 같은 사람이라도 상황에 따라 수시로 변하게 됩니다.

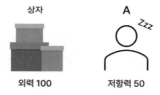

상자

A

외력 100   저항력 50

A는 이사를 했습니다. 하루종일 짐을 옮겼더니 너무나도 피곤한 상태입니다. A가 스스로 인지하진 못하지만 피로감으로 인해 허리 저항력이 50이 되었습니다. 이때 아무 생각 없이 상자를 들어 올립니다. 이 순간 허리를 삐끗하게 됩니다. 분명 같은 사람임에도 불구하고 A의 체력과 함께 저항력이 감소되었기 때문입니다.

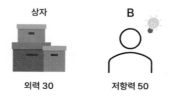

상자

B

외력 30   저항력 50

B도 이사를 했습니다. 평소 허리가 좋지 않다고 생각하는 B에게는 이사가 굉장히 부담스럽습니다. 절대 무거운 물건을 들지 않으려고 포장이사를 했습니다. 이사를 마치고 둘러보니 상자 하나가 거슬립니다. 이전에 경험했던 대로 허리가 다칠 것 같아서 옮길 엄두가 나지 않습니다. 어떻게 할지 곰곰이 생각하던 B는 좋은 아이디어가 떠올랐습니다. 상자에 손잡이를 만들면 되겠다는 생각이 들었습니다. B는 허리가 다치지 않게 상자를 들어서 옮길 수가 있었습니다. 분명 같은 상자인데 손잡이를 만들어서 잡기 편해졌고, 허리를 덜 구부리고 들어 올릴 수가 있습니다. 그 결과 상자를 들어 올릴 때 외력이 30이 되었습니다.

외력과 저항력의 관계는 수많은 상황에서 적용됩니다. 이런 상황은 어떨까요? 갑작스럽게 외력이 가해지는 사고입니다. A와 B는 택시를 타고 같이 저녁 식사를 하러 갑니다. 뒷자리에 나란히 앉아서 목적지를 가고 있는데 교통사고가 났습니다. 택시 뒤를 충돌한 접촉사고입니다.

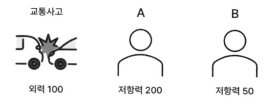

A는 내려서 다른 택시를 타고 가야겠다고 생각합니다. 그런데 B

가 택시에서 내리지를 못하고 쭈그리고 앉아 있습니다. 영문을 모르는 A는 B에게 괜찮냐고 물어보지만 꼼짝도 못 하겠다고 합니다. 바로 구급차를 부르고 B와 같이 응급실에 갔습니다. 검사 결과 B의 허리디스크가 급성 파열되었다고 합니다. A는 아무렇지도 않은데, B만 다치게 된 것입니다.

교통사고로 외력이 가해지게 되고 저항력의 차이로 손상이 달라지게 되었습니다. 상자를 들어 올리는 것과는 달리 교통사고와 같이 갑작스럽게 가해지는 외력은 뇌가 경고 신호를 보내기도 전에 실제 손상이 발생하게 됩니다. 삐끗하기도 전에 허리 내부의 디스크가 손상된 것입니다.

사람에 따라, 상황에 따라, 사건에 따라 통증이 발생하는 원인은 수만 가지입니다. 허리에 스트레스가 발생했고 외력과 저항력의 관계에 따라 통증이 발생하게 됩니다.

그러면 우리가 통증을 개선하는 가장 근본적인 방법은 외력을 줄이고 저항력을 늘리는 것입니다. 외력보다 저항력이 크면 통증은 발생하지 않으니까요.

외력 ↓ 저항력 ↑

이 단순한 해결책이 우리에게 적용되기는 굉장히 어렵습니다. 우리 모두 외력이 늘어나고 저항력이 줄어들기 때문입니다. 이 때문에 누구나 당연히 통증을 겪게 됩니다. 왜 우리 모두가 아플 수밖에 없는지 외력과 저항력을 더 알아보겠습니다.

통증은 너무나도
당연하다

원래 허리가 안 좋아요..

　B처럼 저항력이 낮은 사람들은 허리가 좋지 않다고 말합니다. 평소에 절대 허리에 부담이 가는 행동은 하지 않습니다. 허리에 스트레스 상황 자체를 만들지 않으려고 노력하는 것입니다. 똑바로 누워서 자려고 노력하고, 의자에 앉아 있을 때도 최대한 바르게 앉아 있으려고 합니다.

　이뿐만이 아닙니다. 생활 환경을 바꾸기도 합니다. 허리가 편안한 침대, 리클라이닝 소파, 인체 공학 사무용 의자, 기능성 신발 등 허리를 위해 아낌없이 투자합니다. 레슨했었던 한 회원은 차를 바꾸기도 했습니다. 승용차는 차체가 낮아서 타고 내리기가 불편해서 차체가 높은 SUV로 바꿨습니다. 이렇게 허리에 최대한 무리가 가지 않는 환경을 만들면 통증은 사라지고 허리는 점점 좋아질 거라 생각합니다.

그럼에도 불구하고 어느 날 갑자기 또다시 허리가 다시 아파옵니다. 정말 노력하고 조심했는데도 다시 아프니 짜증을 넘어 화가 치밀어 오른다고 합니다.

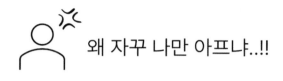

나에게만 일어나는 일이라고 생각하지 않으셔도 됩니다. 허리통증을 가진 사람들의 대부분은 통증이 반복적으로 재발하게 됩니다. 왜 그럴까요? 앞서 통증이 발생하는 원인을 스트레스라고 했습니다. 외력과 저항력의 상관관계에 따라 통증 여부가 결정된다고 했습니다. 통증이 발생한 것은 외력이 가해진 것이고 저항력을 초과한 상황입니다. 이 상황을 모면하려고 아무리 외력을 줄이려고 노력해도 외력은 쉽게 줄어들지 않습니다.

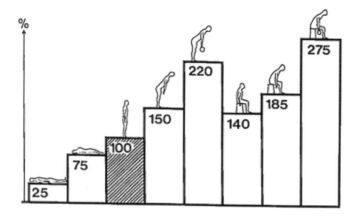

척추 연구분야의 개척자이자 가장 영향력 있는 인물인 Nachemson 박사는 자세에 따라 허리디스크에 가해지는 압력을 측정하는 연구를 했습니다. 척추 관련 전공 서적, 해외 아티클에 자주 등장하는 아주 유명한 그림입니다.

가만히 서 있는 자세에서 허리디스크에 발생하는 압력을 100으로 기준점을 정하고 다른 자세와 비교하는 연구를 했습니다. 똑바로 누워 있을 때는 25로 디스크에 가해지는 압력이 가장 적은 상태가 됩니다. 허리를 펴고 앉아 있는 자세에서 가해지는 압력은 140입니다. 우리가 가만히 앉아 있기만 해도 허리디스크에 압력이 가해지는 것입니다. 이 압력이 허리에 가해지는 외력입니다.

허리에 가해지는 외력을 최소화하려면 하루종일 누워 있는 방법밖에 없습니다. 화장실도 안 가고, 밥도 누워서 먹는 생활을 해야 합니다. 당연하게도 우리는 하루종일 누워서 생활한다는 것은 불가능합니다. 스스로 환자가 되기를 자처하는 셈입니다. 아주 사소한 일상생활을 하더라도 서서 하거나 앉아서 하거나 둘 중 하나입니다. 결국 허리에 가해지는 외력을 절대 피할 수가 없다는 뜻입니다.

가만히 있어도 허리에 외력이 가해지는데, 움직이면 어떻게 될까요? 외력은 더욱 커지게 됩니다. 우리가 움직이지 않고 하루를 보낸다는 것 또한 불가능합니다. 아침에 활동하는 것만 생각해 봐도 정말 다양하게 움직입니다. 잠에서 깨어나서 몸을 일으키는 움직임, 화장실에서 세수를 하기 위해 허리를 구부리는 움직임, 아침 식사를 하기 위해 찬장에서 접시를 꺼내는 움직임, 바지를 입고 양말을 신기 위해 허리를 구부리는 움직임과 같은 다양한 움직임에서 허리에 외력이 가해지게 됩니다. 허리가 심하게 나쁘지 않다면 이 정도로는 통증이 발생하지는 않을 것입니다.

그러다 어느 날 갑자기 허리를 삐끗하게 됩니다. 아무 생각 없이 책상 밑으로 굴러떨어진 펜을 집거나, 집안의 전등을 교체하면서, 별로 무겁지도 않은 택배 상자를 들면서 이런 일이 발생합니다. 평소에 허리가 특별히 나쁘지는 않았는데 통증이 발생하니 많이 당황스럽습니다. 별거 아닌 움직임에 허리의 저항력이 초과했다는 것이 납득하기 어렵습니다.

왜 이런 일이 발생했을까요? 엄청난 외력이 가해진 것도 아니고 저항력이 갑자기 확 떨어지지도 않았을 텐데 통증이 발생한 게 이해가 되지 않습니다. 여기서 고려해야 할 것이 있습니다. 외력이 누적된다는 사실입니다.

외력이 누적될수록 허리는 점점 피로해지게 됩니다. 저항력이 계속 감소하게 되는 것입니다. 그래도 외력은 계속 가해지고 저항력이 버틸 수 있는 한도를 초과하게 되면 허리가 손상될 위험에 처하게 됩니다. 우리의 뇌는 당연히 알아차리고 손상이 되기 전에 경고 신호를 보냅니다. 잠재적인 손상으로 인한 허리통증입니다. 평범한 일상의 움직임에서도 외력이 가해지게 되고 점점 누적이 되면서 허리통증이 발생하게 됩니다.

우리가 외력을 줄인다는 것은 불가능한 일입니다. 가만히 있어도 외력은 가해지고 움직이게 되면 점점 커지게 됩니다. 무거운 상자를 들거나 갑자기 넘어지게 되면 외력이 급격하게 커집니다. 우리는 허리에 가해지는 외력을 피할 수가 없습니다. 그러면 통증이 나타나지 않게 하는 방법은 한 가지뿐입니다. 저항력을 늘리는 것입니다.

외력 < 저항력

통증은
노화 때문이 아니다

아침에 다리가 네발, 점심은 두 발, 저녁엔 세 발인 것은?

사람의 일생을 표현한 스핑크스의 수수께끼입니다. 우리 모두는 성장과 노화를 겪게 됩니다. 조금씩 차이는 있지만 정상적인 성장과 정을 겪는다면 태어나서 첫 돌 무렵에 아장아장 걷게 됩니다. 점점 성장하면서 20살 정도가 되면 신체 능력은 절정에 다다릅니다. 그리고 약 35세부터 노화가 본격적으로 시작됩니다. 신체의 모든 기능이 감소하기 시작합니다.

허리의 저항력도 감소하게 되면서 이때를 기점으로 통증이 시작됩니다. 평소와 같이 움직이고 특별히 무리되는 행동을 하지 않았음에도 통증은 필연적으로 발생하게 됩니다. 감소된 저항력으로 이전과 비슷한 외력을 버티지 못하고 통증이 되는 것입니다. 분명 노화는 통증을 유발하는 요인 중 하나입니다.

하지만, 우리 주위를 보면 노화를 거스르는 사람들이 있습니다. 고인이 된 황국희 여사님입니다. 그녀는 평범한 주부로 살다가 무료함을 느끼게 되었고 40대에 등산을 시작했습니다. 53세에는 자궁암 수술을 받고 더욱 본격적으로 산을 타기 시작했다고 합니다. 62세에 등산학교에 들어가 전문적인 암벽등반 기술을 배우고 스위스의 몽블랑, 히말라야 안나푸르나 같은 전문 등산인도 어려운 산의 정상을 정복했다고 합니다. 이 정도는 아무것도 아닙니다. 더 놀라운 일이 있습니다.

그녀는 2017년 9월 17일 생일을 맞아 산악회 동료들과 북한산 인수봉을 암벽등반한 다음 정상에서 팔순잔치를 했다고 합니다. 60살, 70살도 아닌 80살에 암벽등반을 하고 팔순잔치를 했다는 사실이 정말 놀라울 따름입니다.

황국희 여사님과 완전 반대인 20대 노인도 있습니다. 저는 길을 걷다 보면 직업병처럼 앞에 걸어가는 사람의 움직임을 관찰하고 평가합니다. 걷는 자세가 무너진 사람들에게서 관찰되는 특징이 있습니다. 골반은 틀어지고, 발의 아치가 무너져 걸음걸이가 좋지 않은 모습을 볼 수가 있습니다. 나이를 불문하고 20대로 보이는 사람들에게서도 자주 이런 패턴을 관찰할 수가 있습니다. 감히 단언하건대 이들은 필연적으로 허리가 아프게 될 것입니다.

80대 황국희 여사님과 20대 노인의 차이는 노화가 아닌 게 분명합니다. 노화가 신체의 저항력을 감소시키는 근본적인 원인이 아닙니다. 정확히 말하면 주요 원인은 노화가 아니라 신체 기능 저하입니다.

어떤 기능이 저하되었을까요? 우리의 움직임입니다. 시간이 갈수록 우리는 점점 적게 움직입니다. 저하된 움직임으로 신체의 기능을 점점 상실하게 되면서 저항력도 감소하게 됩니다. 대다수의 사람들은 이를 '노화'라고 부릅니다.

아닙니다. 움직임의 저하로 기능이 저하된 결과입니다. 도시에 사는 우리와 생활환경이 반대인 아프리카 원주민들을 보면 알 수가 있습니다. 그들의 일상은 무거운 짐을 짊어지고 수십 킬로씩 걸어 다닙니다. 울퉁불퉁하고 굴곡져 있는 길을 신발도 없이 다닙니다. 이 원주민들은 허리통증이 없다고 합니다. 나이가 들어서도 마찬가지라고 합니다.

반면에 첨단 도시에 사는 우리는 편한 이동수단으로 먼 거리도 쉽고 빠르게 이동합니다. 무거운 짐을 직접 들고 다닐 필요 없이 배송서비스를 이용하면 됩니다. 도시의 편한 생활환경이 우리의 움직임 기능을 떨어트리게 되고 저항력을 감소시키는 것입니다. 그 결과 허리통증이라는 도시인의 문제를 만들어 낸 것입니다.

우리 주변을 관찰해 봐도 알 수가 있습니다. 회원 중에 전국 팔도를 찾아다니면서 온갖 치료를 받은 사람이 있습니다. 들어보면 정말 놀라울 정도로 기상천외한 치료가 많습니다. 시간과 돈을 투자해서 열심히 치료받은 회원은 여전히 허리통증에 시달립니다.

동네 약수터에서 나무에 등을 치거나, 물구나무를 서거나, 흉내 내기도 힘든 기체조를 하는 사람들이 있습니다. 아무런 과학적 근거가 없는 신체활동임에도 불구하고 그들은 허리통증이 없다고 합니다. 허리통증 때문에 시작했다가 완치되었다는 사람도 종종 볼 수가 있습니다.

이 모든 것은 저항력이 결정합니다. 무엇을 하든 간에 저항력이 상승하게 되면 허리통증은 나타나지 않습니다. 반면에 아무리 과학적인 치료라도 저항력이 상승하지 않는다면 통증은 계속됩니다. 그렇게 80대 청년과 20대 노인이 결정됩니다.

통증만 치료하면
꼬부랑 할머니 된다

꼬부랑 할머니가 꼬부랑 고갯길을
꼬부랑꼬부랑 넘어가고 있네

어렸을 적 재밌게 불렀던 동요지만, 지금은 '꼬부랑 할머니'라는 말이 굉장히 슬프게 들립니다. 인생의 마지막 종착점이 초라한 꼬부랑 할머니의 모습이라는 사실이 참으로 안타깝습니다.

의료 기술의 발달로 각종 불치병을 효과적으로 치료하는 시대입니다. 이것을 넘어 예방의학의 발달로 100세 시대를 넘어 120세 시대가 되어가고 있습니다. 하지만 우리 주변을 둘러보면 심심치 않게 꼬부랑 할머니의 모습을 볼 수가 있습니다. 여전히 이 문제는 속 시원하게 풀리지 않았습니다. 왜 꼬부랑 할머니가 되어가는 걸까요?

무리한 운동이나 중노동을 하지 않고 일상생활을 하는 것만으로도 허리에 가해지는 외력은 지속됩니다. 반면에 신체의 기능이 저하되면서 허리의 저항력은 점점 줄어듭니다. 시간이 갈수록 이 둘의 차이는 점점 커지게 됩니다.

외력은 커지고 저항력은 줄어든다.

외력이 저항력보다 크면 잠재적인 손상으로 인한 통증이 발생하게 됩니다. 이때 통증만 치료해서 뇌에서 보내는 경고를 계속 차단하게 되면 점점 실제 손상으로 이어지게 됩니다. 허리에 실제 손상이 발생하게 되면 극심한 통증에 시달리게 됩니다. 이때는 누구나 움직이는 것을 중단하고 누워서 휴식을 취하게 됩니다. 아무런 치료를 하지 않아도 시간이 지나면 실제 손상된 조직tissue(근육, 인대, 디스크 등)은 스스로 재생regeneration하게 됩니다. 우리 몸이 스스로 회복하는 과정입니다. 당연하게도 경고신호인 통증은 감소하게 됩니다.

문제는 조직이 재생될 때 흉터가 남게 됩니다. 피부가 면도칼로 베면 상처 남는 것과 같습니다. 이를 흉터 조직scar tissue이라고 합니다. 흉터 조직은 원래 형태와 다르게 단단한 섬유질 형태가 됩니다. 탄력성이 줄어들게 되어 뻣뻣한 형태로 변하는 것입니다. 그래서 흉터 조직은 뻣뻣해지고 움직임이 저하됩니다.

신체의 모든 관절은 이러한 결합조직connective tissue으로 연결되어 있고 허리뼈 사이사이도 마찬가지입니다. 허리에 실제 손상이 발생하게 되면 재생되는 과정에서 흉터 조직이 되고 뻣뻣해지고 움직임이 저하됩니다. 이 과정이 수년간 반복되면 관절이 점점 굳어지게 되는데 이를 관절의 섬유화fibrosis라고 합니다. 바로 꼬부랑 할머니가 되는 것입니다. 결합조직이 부드러운 어린아이들을 보면 확실히 알 수가 있습니다. 어린아이들에게 누웠다가 일어나라고 하면 재빠르게 일어나는데, 탄력이 줄어든 사람은 '아이고' 소리가 절로 나온다고 하면서 힘겹게 일어납니다. 관절이 섬유화된 결과입니다. 이 현상이 손가락 마디마다 일어나면 손가락이 휘어지게 되고, 무릎에 일어나면 무릎이 안 펴지는 안짱다리가 되고, 허리뼈에 일어나면 꼬부랑 할머니가 됩니다.

'나는 아직 젊으니까 괜찮겠네.'

젊다는 기준은 무엇일까요? 아직 젊어서 괜찮다고 생각하시면 안됩니다. 20대도 섬유화가 되어 움직임 기능이 저하된 사람들을 수도 없이 봤습니다. 80대임에도 '아이고' 소리를 한 번도 내지 않는 사람도 있습니다. 섬유화가 진행되는 속도에 따라 누군가는 30-40대부터 꼬부랑 할머니가 될 수도 있습니다.

이 악순환의 고리를 끊어내야 합니다.

꼬부랑 할머니가 되는 것은 통증에 대한 잘못된 인식 때문입니다. 잠재적인 통증이 발생하게 되면 그 원인을 찾아 개선해야 합니다. 하지만 대다수의 사람들은 통증만 계속 치료합니다. 소염진통제를 복용하다가 효과가 떨어지면 더 강한 마약성 진통제를 찾고, 물리치료로는 빠르게 해결이 되지 않는다고 스테로이드 주사를 맞습니다.

환자들은 과잉진료를 하고 약물을 오남용하는 병원이 문제라고 합니다. 근본적으로 치료해 주지 않는 병원도 문제이지만, 사실은 환자가 더 문제입니다. 통증을 빠르고 간편하게 없애주는 병원을 찾아다니기 때문입니다. 정직하게 진료하는 병원보다 통증을 빠르게 없애주는 병원이 문전성시를 이루는 것은 참으로 안타까운 현실입니다.

통증 따위는
넘어서라

다시 한번 강조합니다. 통증은 몸에서 보내는 경고입니다. 경고가 발생한 근본적인 원인을 찾아서 해결해야 합니다. 원인이 해결되면 통증이 발생할 이유는 사라지게 됩니다. 이를 위해서는 우리가 통증을 넘어서 생각해야 합니다. 통증이 발생하게 되면 이렇게 둘로 나누어 생각해 봐야 합니다.

'허리에 외력을 가하고 있구나!'
'허리의 저항력이 감소되었구나!'

외력이 저항력을 초과해서 발생하는 경고신호가 통증입니다. 아프고, 불편하고, 짜증 나고, 괴롭다고 당장 통증을 없애는 치료를 하지 마시기 바랍니다. 통증이 발생하는 이유를 명확하게 알고 한 단계 위에서 생각하시기 바랍니다. 통증이 발생하면 스스로 이런 질문을 던져봐야 합니다.

'어떻게 외력을 줄이고, 저항력을 늘릴까?'

이 질문이 허리통증을 완전하게 개선하는 핵심질문입니다. 움직이기만 해도 심지어 가만히 있어도 가해지는 외력을 어떻게 줄여나갈지 생각해 봐야 합니다. 그리고 저항력을 늘리기 위해서는 무엇을 해야 할지 알아야 합니다.

이 두 가지를 위해 허리에 외력이 가해지는 이유와 저항력을 어떻게 늘릴 수가 있는지에 대해 구체적으로 알아보겠습니다.

세련된 작별인사를 하기 위해 한 걸음 더 나아가 보겠습니다.

3장

허리

허리의
본질

　우리 몸에서 허리가 어떤 역할을 하는지 알아보겠습니다. 이 역할이 충족되지 않아서 위험을 느끼고 보내는 경고신호가 바로 통증입니다. 이 역할을 충족시킨다면 허리통증이 발생할 이유는 사라지게 됩니다.

　이곳저곳 병원을 헤매고 다니지 않아도 되고, 진료를 받기 위해 반나절을 소모하지 않아도 됩니다. 또한 아무 효과 없는 치료를 받으면서 좋아졌다고 착각하는 정신승리를 하지 않아도 됩니다.

　스스로 어떤 상황이고 어떤 치료가 나에게 도움이 되는지 판단할 수 있는 힘을 기르시길 바랍니다. 그래야 더 효과적인 치료를 받을 수 있고 완전하게 개선될 수가 있습니다. 먼저, 허리의 사전적 의미부터 살펴보겠습니다.

허리

1. 사람이나 동물의 갈빗대 아래에서부터 엉덩이까지 잘록한 부분.

2. 사물의 가운데 부분

〈표준국어대사전〉

허리는 상체와 하체 사이에 위치합니다. 상·하체를 연결해 주는 역할을 하는 곳이 허리입니다. 이는 사람과 동물이 동일합니다. 연결된 부분이 상체와 하체, 앞다리와 뒷다리라는 차이입니다.

하지만 사람과 동물의 움직임은 완전 다릅니다. 사람은 동물처럼 네발로 걷지 않고 두 발로 걷는 직립보행을 합니다. 직립보행을 하면서 머리와 상체는 위쪽으로 가게 되었고 다리는 아래쪽으로 가게 되었습니다. 허리는 가운데에서 상·하체를 연결해 주고 있습니다. 이에 따라 사람의 허리는 연결과 함께 머리와 몸통을 받쳐줘야 합니다. 그래야 우리는 직립생활을 할 수가 있습니다.

지지

무거운 물건을 받치거나 버팀.

〈표준국어대사전〉

허리는 머리와 상체를 받치는 버팀목 역할을 해야 합니다. 그래야 직립이 가능해지고 상체와 하체가 연결이 됩니다. 사람과 동물의 공통점은 연결, 사람은 연결과 지지가 둘 다 형성되어 있어야 합니다.

연결과 지지 중에 뭐가 더 중요할까요?

　상체와 하체를 움직이기 위해서는 허리는 반드시 연결되어 있어야 합니다. 단순히 뼈만 연결되고 있는 것이 아닙니다. 허리뼈 안쪽으로 척수신경이 지나가는 통로가 있습니다. 뇌에서부터 발까지 신경이 잘 연결되어 있어야 정상적으로 움직일 수가 있습니다. 머리부터 발까지 신호가 잘 전달되어야 우리가 직립보행을 할 수가 있는 것입니다. 그런데 허리뼈가 지지가 되지 않아서 신경이 지나가는 통로가 좁아지거나 막히면 어떻게 될까요? 신경전달에 문제가 생겨서 다리가 저리거나 힘이 빠지게 됩니다. 즉, 연결에 문제가 생깁니다.

지지가 무너지면 연결에 문제가 발생합니다.

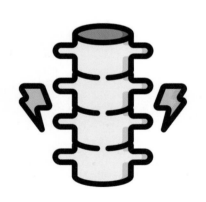

　지지가 먼저입니다. 허리가 잘 지지하고 있어야 신경전달이 막힘없이 연결되는 것입니다. 지지가 무너지게 되면 연결에 문제가 생기고 뇌에서 이를 바로 감지합니다. 더 이상 지지가 무너지면 안 되기 때문에 경고신호를 보냅니다. 그게 바로 허리통증입니다.

　척추 질환 중 가장 대표적인 것이 허리디스크입니다. 디스크는 허리뼈 사이에 있는 쿠션 형태의 물주머니를 말하고, 정확한 병명은 요추 추간판 탈출증herniated intervertebral disc(HIVD)입니다. 허리뼈 사이에서 충격을 완화해 주는 역할을 하는 디스크가 돌출되어서 신경을 압박하고 통증을 일으키는 질환입니다.

여기서 근본적인 문제는 디스크로 인한 통증이 아닙니다. 디스크가 돌출되었다는 게 문제인 것입니다. 당연히 통증을 치료하는 것이 아니라 디스크가 돌출된 이유를 찾아서 개선해야 완전하게 치료가 됩니다. 허리뼈 사이의 공간이 좁아지고 사이에 있는 디스크가 압박되어서 돌출이 되는 것입니다. 근본적인 원인은 허리뼈 사이의 공간이 좁아진 것입니다. 허리뼈의 지지가 무너져서 추간판 탈출증이라는 병이 생기게 된 것입니다.

디스크보다 더 흔하게 겪는 문제는 허리 염좌입니다. 흔히 허리가 삐었다고 하거나 근육이 다쳤다고 표현합니다. 보통 몸을 구부렸다가 펴는 동작을 하다가 허리를 삐끗하게 됩니다. 몸을 펴는 순간에 머리와 상체를 들어 올려야 하고 허리는 버팀목 역할을 해야 합니다. 그래야 원래 자세인 직립으로 돌아올 수가 있습니다. 이때 허리의 버팀목 역할이 부족하게 되면 손상될 위험에 처하기 때문에 통증이 발생하게 됩니다. 허리에 외력이 가해지고 저항력이 부족한 순간입니다. 이 순간에 버팀목이 튼튼하다면 당연히 통증이 발생하지 않습니다. 버팀목이 곧 지지를 의미하고 이는 허리의 저항력입니다.

허리의 저항력 = 허리의 지지력

허리에 외력이 가해지게 되고 지지력으로 저항을 하느냐 못하느냐에 따라서 통증 여부가 결정되고, 디스크의 탈출도 결정됩니다. 견고한 지지력을 갖추고 있으면 어떤 동작을 하면서 발생하는 외력을 대응할 수가 있습니다. 반면에 지지력을 제대로 갖추지 못하면 외력에 대응하지 못하고 통증이 발생하게 됩니다.

다시 허리디스크로 돌아가 보겠습니다. 허리의 지지력이 부족해서 디스크의 압박이 가해지고 있습니다. 압박된 디스크는 후방으로 탈출되어 척수신경을 압박하고 통증과 다리 저림 증상이 발생했습니다. 이 상황에서 디스크를 치료하면 완전하게 나을 수 있을까요? 디스크를 수술해서 원래대로 되돌려 놓으면 완전히 나을까요? (문제는 아직까지 원래대로 되돌리는 방법도 없습니다.)

단언컨대 통증이 잠시 사라질 수는 있지만 근본적인 치료는 되지 않을 것입니다. 소위 말해 약빨이 떨어지면 다시 아파집니다. 근본적인 원인은 디스크가 아니라 지지력의 약화입니다. 지지력이 충분치 않으면 평생 허리통증에 시달리게 될 것입니다.

허리에서는
무슨 일이 일어나는가?

허리통증의 근본적인 해결책은 견고한 지지력을 만드는 것입니다. 견고한 지지력을 바탕으로 허리에 좋은 환경이 조성되면 허리 내부가 손상되어도 스스로 회복합니다. 실제로 좁아진 허리뼈의 간격이 원래대로 회복되기도 했고, 탈출된 디스크가 원래 자리를 찾아간 사례도 있었습니다. 허리에 지지력이 어떻게 형성되는지 알아보겠습니다.

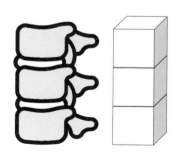

허리의 기본적인 지지를 만드는 것은 허리뼈입니다. 허리뼈는 장난감 블록처럼 차곡차곡 쌓여 있는 형태입니다. 만약 우리가 움직이지 않고 가만히 서 있다면 허리뼈만으로도 직립이 가능합니다. 하지만 우리는 가만히 있지 않습니다. 아주 다양하게 움직입니다. 움직일 때마다 허리뼈는 계속 흔들립니다. 허리뼈에 가해지는 외력입니다. 이때 지지력으로 버텨내면서 흔들리지 않아야 합니다.

이 견고한 지지력을 만들어 주는 곳이 있습니다. 우리의 모든 움직임에 대응할 수가 있습니다. 하루종일 트래킹 코스를 걸어도, 밤새도록 춤을 춰도, 300kg 역기를 들어 올려도 허리뼈가 흔들리거나 무너지지 않게 잡아줄 정도로 견고한 지지를 만들어 줍니다. 허리의 지지력을 형성하는 핵심입니다. 허리의 3중 레이어 시스템입니다.

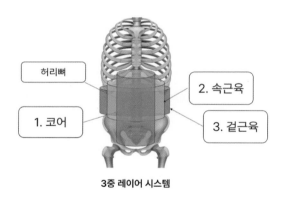

3중 레이어 시스템

허리뼈를 겹겹이 둘러싸여 허리의 견고한 지지를 형성합니다. 코어, 속근육, 겉근육 세 가지가 조화롭게 작용하면서 다양한 움직임으로부터 대응할 수 있는 지지력을 형성합니다. 이 셋은 각자 맡은 역할이 조금 다릅니다.

3중 레이어 시스템	지지
1. 코어	○○
2. 속근육	○
3. 겉근육	큰 힘을 쓸때만

코어는 허리뼈에 가장 가까이에서 핵심적인 지지를 만듭니다. 코어를 메인으로 속근육이 지지를 보조해 주는 역할을 합니다. 제일 바깥쪽에 있는 겉근육은 큰 힘이 필요한 특수한 상황에서만 지지를 만듭니다. 다양한 움직임에 따라 이 3중 레이어 시스템을 조절하면서 허리의 지지력을 만듭니다. 다양한 상황에서 시스템이 어떻게 작동하는지 보겠습니다.

Max

지지력 활성도

강아지를 데리고 산책하는 가벼운 움직임입니다. 코어가 메인으로 지지력을 형성하고 속근육은 지지를 보조해 줍니다. 큰 힘이 필요하지는 않기 때문에 겉근육의 역할은 상대적으로 작습니다. 일상적인 가벼운 움직임에서는 근육이 최대치로 활성되지 않으면서 움직이게 됩니다.

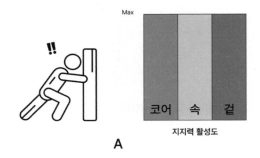

반면에 큰 힘을 쓰는 상황에서는 근육의 활성도가 최대치가 됩니다. 벽을 최대한 힘껏 미는 상황입니다. 3중 레이어 시스템이 모두 최대치로 활성화되고 강력한 지지력을 만들어 허리를 보호합니다. 정상적으로 시스템이 작동하게 되면 큰 힘을 쓰는 상황에서도 허리는 다치지 않습니다.

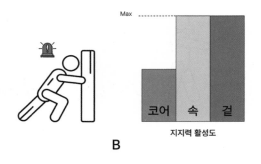

같은 상황에서 3중 레이어 시스템이 비정상적으로 작동되는 경우입니다. 코어가 제대로 활성이 되지 않고 속근육과 겉근육은 최대치로 활성화되었습니다. 부족한 코어의 활성으로 허리는 제대로 지지가 되지 않습니다. 이때 우리의 똑똑한 뇌는 위험을 감지하고 경고 신호를 보내게 됩니다. 허리를 삐끗하게 되는 상황입니다. 많은 사람들이 힘을 잘못 써서 허리를 다쳤다고 표현합니다. 속근육과 겉근육이 과도하게 활성화되면서 근육을 다치게 되는 것입니다. 이런 상황은 큰 힘을 쓰는 상황만이 아닙니다.

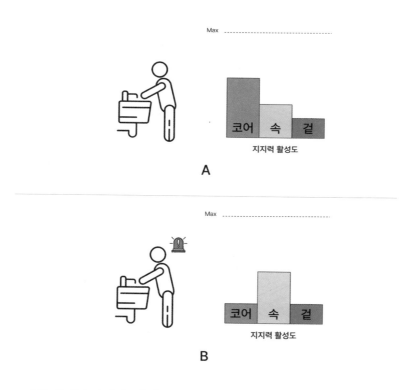

아침에 세수하다가 허리를 삐끗했다는 사람들이 있습니다. 일상적인 움직임에서 A와 같이 코어가 활성화되어야 허리의 지지력을 형성하게 됩니다. B는 코어가 제대로 지지하지 못하고 지지를 보조하는 속근육이 과도하게 활성화된 상황입니다. 매일 세수를 하면서 이 현상이 누적되면 속근육은 피로해지게 됩니다. 어느 날 갑자기 세수하다가 허리를 삐끗하게 됩니다. 별거 아닌 일상적인 움직임에서도 3중 레이어 시스템의 활성도에 따라 허리가 다칠 수 있습니다.

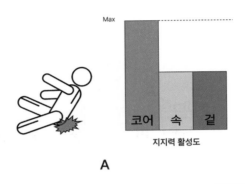

A

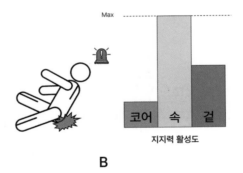

B

미끄러져 넘어지는 경우입니다. 허리에 갑작스럽게 큰 외력이 가해지는 순간입니다. A는 코어가 허리 내부를 보호하기 위해 순간적으로 최대로 활성화되었습니다. 그 결과 엉덩이에 타박상만 생기게 되고 허리는 다치지 않았습니다. 같은 상황에서 B는 속근육이 최대로 활성화되었습니다. 코어가 제대로 작동하지 않았고 지지를 보조하는 속근육이 대신 지지력을 만들기 위해 최대치로 활성화된 것입니다. 속근육이 버틸 수 있는 한도의 경계선에 다다르게 되었고 잠재적인 손상을 감지하고 통증이 발생하게 됩니다. 가해지는 외력이 커서 저항력의 한도를 초과하게 되면 근육이 미세손상 되는 실제 손상이 일어나기도 합니다.

다양한 상황에 따라 3중 레이어 시스템은 유기적으로 조절되어야 허리의 견고한 지지를 형성합니다. 코어가 메인 지지를 형성하고 속근육은 이를 보조해 줘야 합니다. 큰 힘이 필요한 상황에서는 겉근육까지 모두 협업을 해야 제대로 허리의 지지력이 형성됩니다. 이 시스템의 밸런스가 깨지게 되면 허리의 지지가 무너지게 되고 외력의 크기에 따라서 통증이 발생하게 되는 것입니다.

단순히 재수 없게 다치는 게 아닙니다. 모든 사건에는 분명한 원인이 있습니다. 더 자세히 3중 레이어 시스템을 알아보겠습니다. 알 수 없었던 허리통증의 원인을 명확하게 알게 되실 겁니다.

복근이라고
오해받는 코어

코어는 허리의 지지를 만드는 메인 역할은 합니다. 코어가 중요하다는 건 이미 많이 알려져 있습니다. 책, TV 방송, 유튜브 등을 통해 많은 사람들이 코어를 설명하고 있습니다. 하지만 모호하고, 중요한 부분이 빠졌으며, 심지어 잘못된 내용도 있습니다. 코어가 어떻게 지지력을 만드는지 명확하게 알아보겠습니다.

Core

1. (사과 같은 과일의) 속

2. (사물의) 중심부

3. 핵심적인, 가장 중요한.

《옥스퍼드사전》

코어의 뜻을 보면 여러 의미를 갖고 있지만, 하나의 의미로 정리해 보면 중심입니다. 서양의학에서 가장 안쪽에서 허리를 감싸고 있는 첫 번째 레이어를 코어라고 정의를 내렸습니다. 몸의 중심이라는 뜻입니다. 코어를 동양의학에서는 다르게 부릅니다. 인체에서 가장 기운이 많이 모이는 곳으로 '에너지의 중심'이라고 설명하면서 이를 '단전丹田'이라 합니다. 두 단어 모두 '몸의 중심'이라는 의미를 갖고 있습니다. 가장 중요하고 기본이 되는 부분이라는 의미는 동일합니다.

 코어(Core) = 단전(**丹田**)

두 단어의 뒤에 붙는 단어를 한번 떠올려 볼까요? 서로 다른 단어가 뒤에 붙습니다. 코어라고 하면 대부분 '코어 근육'이라는 단어를 떠올리고, 단전이라 하면 단전호흡을 떠올리게 됩니다. 일반적으로 코어 호흡, 단전 근육이라는 말을 쓰지 않습니다. 서양과 동양에서 말하고자 하는 중심이라는 의미는 같지만 접근법이 서로 다르기 때문입니다.

근육과 호흡 어느 쪽이 맞을까요?

둘 다 입니다. 2개의 조화가 중요합니다. 코어가 몸의 중심 역할을 제대로 하려면 근육과 호흡이 같이 작용해야 합니다. 하지만 코어라고 하면 대부분 근육으로만 알고 있습니다. 많은 사람들이 복부

근육을 강화하면 코어가 강해진다고 잘못 알고 있습니다. 이는 앙꼬 없는 찐빵과 같습니다. 호흡이 빠지면 코어의 지지력은 만들어지지 않습니다.

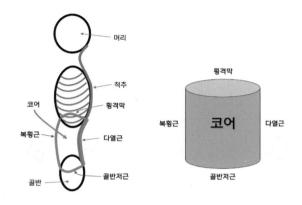

코어는 복부를 주변으로 사면으로 둘러싸여 있는 형태입니다. 원기둥과 같은 형태로 허리뼈를 둘러쌓아 지지를 만들어 줍니다. 원기둥의 겉면에 해당하는 것이 코어 근육이고, 안쪽을 채워주는 것은 호흡입니다. 견고한 하나의 원기둥이 되려면 겉면만 튼튼해도 안 되고, 속만 꽉 차도 안 됩니다. 2개의 조화로 견고한 지지력을 형성하는 코어가 됩니다.

먼저 코어의 견고한 지지를 만드는 핵심인 원기둥의 속을 채워주는 호흡부터 알아보겠습니다. 호흡을 들이마시게 되면 폐 공간이 확장되고 코어의 윗부분인 횡격막이 아래로 하강하게 됩니다. 이때 복횡근, 다열근, 골반저근이 동시에 수축하게 되고 코어의 원기둥은 압력이 형성됩니다. 이를 복식 호흡 또는 횡격막 호흡이라고 합니다. 호흡이 제대로 되면 코어 내부에서 형성된 공기의 압력과 외부의 근육이 수축하면서 견고한 원기둥이 만들어집니다. 이를 복압HAP : Intra Abdominal Pressure이라고 합니다.

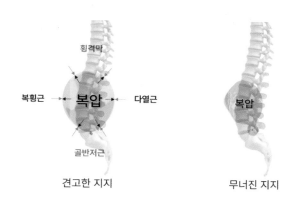

횡격막

복횡근 ←┤ **복압** ├→ 다열근

골반저근

견고한 지지

복압

무너진 지지

복압이 견고한 지지를 만들어 준다는 아주 명확한 예가 있습니다. 허리 환자들이 통증을 완화하기 위해 착용하는 허리 복대입니다. 복대로 복부를 압박하면 복압이 올라가게 됩니다. 복압으로 허리에 지지력이 생기고 통증이 완화되는 효과가 있습니다. 복대의 원리는 근육을 잡아주는 것이 아니라 복압을 만들어 주는 것입니다. 이 원리를 이용해서 고중량 무게를 들어 올리는 역도 선수들은 허리 부상을 예방하기 위해 웨이트벨트를 착용합니다. 이 둘의 원리는 같습니다. 복압으로 허리의 지지력을 늘리기 위해서입니다.

　허리의 지지를 만드는 코어의 핵심은 복압을 만드는 것입니다. 코어근육만 강화하는 것도 아니고, 복식 호흡만 열심히 하는 것도 아닙니다. 두 가지의 조화를 통해 우리의 신체에 견고한 복압을 만들어서 자연복대를 만드는 것이 코어운동의 궁극적인 목적입니다.

　코어는 이름에 걸맞게 허리 건강을 유지하는 데 핵심이 되는 곳입니다. 뿐만 아니라 신체의 건강을 유지하는 데 가장 중요한 역할을 하는 곳입니다.

과업무와 불균형에 시달리는 허리 근육

코어가 허리의 지지력을 만드는 메인 역할을 한다면, 속근육은 이를 보조하는 역할을 합니다. 그리고 겉근육은 큰 힘이 필요한 상황에서만 지지를 만듭니다. 이 세 가지의 조화로 허리의 견고한 지지력이 만들어진다고 했습니다. 반대로 이 세 가지의 부조화로 통증이 시작됩니다. 속근육은 과업무에 시달리고, 겉근육은 균형을 깨트리는 원인이 되기 때문입니다. 왜 이렇게 3중 레이어 시스템이 망가지게 되는지에 대해 알아보겠습니다.

속근육

속근육은 코어의 지지력을 보조해 주는 역할을 합니다. 허리를 지지하는 업무를 수행하는데 코어가 사수라면, 속근육은 부사수입니다. 이 둘의 협업으로 허리에 견고한 지지력을 형성합니다. 속근육은 지지를 보조하는 것 외에 다른 업무도 합니다. 근육의 수축과 이완을 통해 허리의 움직임을 만드는 일을 합니다. 지지를 보조하고 움직이는 일까지 하는 속근육은 두 가지 업무를 하고 있는 셈입니다. 많은 일을 하는 속근육은 쉽게 피곤해집니다.

　우리가 신체활동을 많이 하게 되면 체력적으로 힘들어지는 것처럼 속근육도 마찬가지입니다. 많이 움직일수록 속근육은 피로해지게 됩니다. 이때 우리의 느낌은 이렇습니다.

 허리가 별로 안 좋다.
허리가 뻐근하다.
허리가 삐끗할거 같다.

　허리가 아프다고 말할 수는 없지만 아플 것만 같은 느낌이 듭니다. 무언가 충격이 가해지면 바로 삐끗할 것만 같은 느낌이 들게 됩니다. 속근육이 피로해져서 나타나는 증상이고 허리의 지지력이 감소되었다는 뜻입니다. 허리의 저항력이 감소되었다는 말과 같습니다. 이때 어떤 물건을 들기 위해 힘을 쓰거나, 미끄러져 넘어지게 되면 갑작스러운 외력이 발생하게 됩니다. 외력이 속근육의 저항력의 한도를 초과하기 직전이라면 잠재적인 손상으로 인한 통증, 초과하면 실제 손상으로 인한 통증이 발생하게 됩니다.

　이에 대응하기 위해 똑똑한 우리의 뇌는 속근육이 실제 손상이 되기 전에 방어합니다. 강한 수축을 통해서 속근육이 손상이 되지 않게 보호하는 것입니다. 이 현상을 '속근육 과긴장상태'라고 합니다.

이 상황이 종료되어도 속근육은 계속 과긴장상태가 유지됩니다. 다시 이완이 되지 않는 문제가 발생합니다.

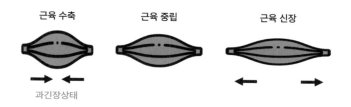

우리의 모든 움직임은 근육의 수축과 이완으로 움직이게 됩니다. 손가락 하나 까딱거리는 것부터 전속력으로 달리기를 하는 것까지 모두 근육의 수축과 이완으로 움직이는 것입니다. 근육이 과긴장상태가 되면 수축한 상태에서 원활하게 이완이 되지 않아서 자유롭게 움직일 수가 없습니다.

허리를 삐끗했다는 것은 속근육이 과긴장상태가 되는 것이고 움직일 때마다 근육이 찢어지는 것과 같은 느낌의 통증이 발생합니다. 그래서 조금만 움직이려고 해도 움찔하면서 극심한 통증이 느껴지는 것입니다. 이 모든 시작은 과도한 업무로 피곤해진 속근육입니다.

이 문제를 예방하려면 속근육의 업무인 지지와 움직임을 줄여주면 됩니다. 즉, 속근육에 가해지는 외력을 줄여줘야 합니다. 코어가 제 역할을 충실히 해서 제대로 지지한다면 속근육의 보조 역할을 줄여줄 수가 있습니다. 또한 속근육이 과도하게 움직이지 않게 해줘야 합니다. 허리가 수시로 삐끗하지 않으려면 속근육의 과도한 업무를 줄여주는 게 핵심입니다.

우리는 무조건 움직인다고 했는데 속근육을 움직이지 않으면 된다니 이해가 되지 않으실 겁니다. 정확하게 설명하면 움직이지 않는게 아니라 움직임을 최소화하는 것입니다. 이는 「허리는 시스템화되어 있다」까지 읽어보시면 명확하게 이해하실 수 있습니다.

겉근육

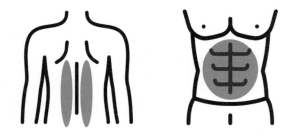

겉근육은 많이 알려진 친숙한 근육입니다. 허리 근육인 척추기립근, 식스팩으로 불리는 복근입니다. 이 근육들은 큰 힘을 써야 할 때만 지지력을 만듭니다. 무거운 물건을 들어 올리거나 근력운동을 하는 상황에서 3중 레이어 시스템은 다 같이 협업을 해서 강력한 지지를 만들어 냅니다. 300kg 바벨을 들어 올릴 때, 덤프트럭을 끌고 가는 차력쇼를 보여줄 때도 허리가 손상되지 않게 지지력을 만들어 줍니다.

그렇다면 우리의 일상적인 생활에서 지지는 어떨까요?

앉고, 서고, 걷는 일상적인 움직임에서는 강력한 지지력이 필요한 상황은 아닙니다. 따라서 겉근육은 일상적인 움직임에서는 허리를 지지하지 않습니다. 코어가 메인, 속근육이 보조 역할을 하면서 24시간 동안 허리의 지지를 만드는 것입니다. 이 원리를 몰라서 대다수의 사람들이 실수를 합니다. 허리를 강화한다고 척추기립근과 복근운동을 열심히 하는 것입니다.

일상생활에서 필요한 지지력과 전혀 관련이 없는 운동입니다. 겉근육이 강화되어 단순히 힘이 세질지는 몰라도 앉고, 서고, 걸을 때 필요한 지지력은 강화되지 않습니다. 겉근육의 힘이 세지게 되면 오히려 허리 환자에게는 독이 됩니다.

첫 번째 레이어인 코어의 지지력이 무너져서 통증이 시작되었는데 겉근육운동을 열심히 하게 되면 3중 레이어 시스템의 균형이 무너지게 됩니다. 겉근육의 점점 강해지는 만큼 코어의 복압도 강해져야 합니다. 이 둘의 균형이 무너지게 되면 3중 레이어 시스템이 망가지게 됩니다.

이 때문에 많은 헬스 마니아들이 허리통증을 겪게 됩니다. 운동을 열심히 해서 몸은 정말 멋있는데도 불구하고 허리는 좋지 않다고 합니다. 한눈에 봐도 척추기립근이 튼튼한데도 불구하고 허리디스크 판정을 받았다고 합니다. 균형이 무너지면서 이런 문제가 발생하는 것입니다.

근육을 멋지게 만들고 몸짱이 되기 위해서는 당연히 겉근육을 키워야 합니다. 하지만 3중 레이어 시스템을 고려하지 않고 겉근육 운동만 한다면 허리 시스템의 균형은 깨지게 됩니다. 허리의 지지는 무너지고 통증은 필연적으로 나타나게 됩니다. 코어의 지지를 제대로 만들고 겉근육을 키우는 게 맞습니다. 또한 겉근육이 튼튼해지는 만큼 코어의 복압도 견고해져야 합니다. 그래야 허리통증 없이 제대로 근육을 키울 수가 있고 운동을 즐길 수 있고 제대로 만들어진 지지력으로 건강해질 수 있습니다.

허리만 보면
완전하게 나을 수 없다

호랑이 담배 피우던 시절엔 허리통증을 해결하기 위해 허리 근력 강화운동을 했습니다. 대표적인 허리 근육인 척추기립근을 강화해서 허리통증을 해결해야 한다고 주장했습니다. 그다음엔 허리 재활운동의 핵심은 코어라고 주장하면서 코어 강화운동이 대세가 되었습니다. 코어가 튼튼하면 허리가 튼튼해진다고 주장했습니다. 최신 스포츠의학에서는 다양한 연구를 통해 단순히 코어를 강화하는 게 중요한 게 아니라 3중 레이어 시스템이 조화롭게 작용해야 한다고 밝혀졌습니다. 하지만 이게 전부가 아닙니다. 먼저 우리 몸의 전체 구조를 한번 살펴보겠습니다.

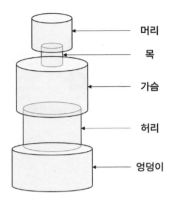

머리
목
가슴
허리
엉덩이

　허리 위쪽으로는 가슴, 목, 머리가 있습니다. 허리의 3중 레이어 시스템으로 만들어진 지지력으로 머리와 상체를 받쳐주고 있습니다. 그렇다면 허리를 받쳐주는 곳은 어디일까요? 몸통의 제일 밑에 위치한 엉덩이입니다. 가장 강력한 지지력을 만들고 신체 전체를 지지하는 역할을 하는 곳은 바로 엉덩이입니다. 엉덩이가 제대로 지지하지 못하면 허리의 3중 레이어 시스템은 무너집니다.

　이 말은 3중 레이어 시스템만으로는 직립생활을 하고 다양하게 움직이는 데 필요한 지지력이 만들어지는 데 한계가 있다는 뜻입니다. 허리가 견고한 지지력이 만들어진다 해도 직립생활을 하는 다양한 움직임에 대응하지 못하면 허리통증은 완전히 해결되지 않습니다. 허리와 엉덩이가 같이 견고하게 받쳐주고 있어야 제대로 지지력이 만들어집니다.

대둔근　　　　중둔근　　　　소둔근

　엉덩이 근육gluteus muscle은 크게 세 가지로 나눠집니다. 엉덩이 근육이 견고한 지지력을 형성해야 3중 레이어 시스템도 견고하게 유지될 수가 있습니다. 밑에서 제대로 받쳐주고 있어야 위쪽이 온전하게 유지될 수가 있습니다. 엉덩이 근육이 어떻게 지지를 형성하는지 알아보겠습니다.

1. 대둔근(大:직립하는 데 큰 역할)

대둔근gluteus maximus은 우리 신체에서 가장 큰 근육입니다. 크기에 걸맞게 강력한 힘으로 허리를 곧게 세워주는 역할을 합니다. 인사를 하거나, 땅에 떨어진 무언가를 주우려면 앞으로 몸을 구부려야 합니다. 몸을 다시 일으켜서 직립자세로 만들 때 대둔근의 힘으로 몸을 일으키는 것입니다. 그래서 서 있을 때나 걸어갈 때 앞으로 고꾸라지지 않게 뒤쪽에서 잡아주는 역할을 합니다. 인간의 직립자세를 만드는 메인 역할을 하는 곳이 대둔근입니다.

대둔근이 약화weakness되면 뒤쪽에서 잡아주는 힘이 약해지게 되고 몸은 앞으로 기울어지게 됩니다. 앞으로 구부러지게 되면 중심을 잃고 앞으로 넘어질 수가 있기 때문에 허리를 뒤로 젖혀서 바른 자세를 만들려고 합니다. 정상적인 허리뼈보다 과도한 만곡이 만들어집니다. 이를 요추 과전만lumbar hyper lordois이라고 합니다.

 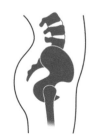

정상 만곡   요추 과전만

정상적인 만곡보다 과도하게 구부러지면서 허리뼈의 지지는 무너지게 됩니다. 이때 움직이면서 발생하는 외력의 정도에 따라 잠재적인 손상 혹은 실제 손상으로 인한 통증이 발생하게 되는 것입니다. 문제의 원인은 허리가 아니라 대둔근의 약화입니다. 이로 인해 허리 통증이 생겼다면 허리를 열심히 치료해도 낫지 않는 불치병이 됩니다. 이를 모르는 환자는 혼란스럽고 답답해지게 되는 것입니다. 허리의 지지를 제대로 만들기 위해서는 대둔근이 제 역할을 하고 있는지를 반드시 살펴봐야 합니다.

2. 중둔근(中:중심을 잡는 역할)

중둔근gluteus medius은 엉덩이의 양쪽에서 좌우 균형을 맞춰주는 근육입니다. 허리가 아파서 여러 군데에서 치료를 받아보신 분은 이런 말을 많이 들어보셨을 겁니다.

"다리 길이가 다르네요."

선천적으로 다리의 뼈 길이가 다른 게 아니라 중둔근의 불균형으로 좌우 다리의 길이가 달라지게 된 것입니다. 중둔근은 엉덩이의 바깥쪽에서 다리를 붙잡고 있는 형태입니다. 한쪽 중둔근의 힘이 약하게 되면 엉덩이 무너지게 되고 다리 길이가 달라지게 됩니다. 중둔근의 불균형이 있는 사람들이 걸을 때 뒷모습을 보면 엉덩이가 한쪽으로 기울어진 모습을 보이고 좌우로 뒤뚱거리게 됩니다. 엉덩이가 흔들리는 만큼 위쪽에 있는 허리도 같이 흔들리게 됩니다. 그 결과 허리의 지지력이 무너지고 통증으로 이어지게 됩니다.

여기서 한 가지 의문이 드실 겁니다. 왜 엉덩이가 안 아프고 허리가 아픈 건지 궁금하시지 않나요? 엉덩이 근육은 허리 근육보다 훨씬 크고 강하기 때문입니다. 근육이 강할수록 저항력이 높아집니다. 신체에 가해지는 외력을 엉덩이는 버텼지만, 허리는 버티지 못하면서 허리통증이 발생하는 것입니다.

많이 걷거나, 오래 서 있을 때 허리가 아픈 사람들은 중둔근의 불균형이 주요 원인일 가능성이 높습니다. 이때 병원에 가서 허리만 치료하는 것은 헛다리 짚고 있는 것이기 때문에 절대 낫지 않습니다. 일시적으로 통증이 감소되는 효과만 있을 뿐 근본적인 치료는 되지 않는 것입니다.

이를 모르고 중둔근의 불균형을 개선하지 않고 계속 방치하게 되면 걸을 때마다 허리는 계속 흔들리게 되고 외력이 가해지게 됩니다. 점점 실제 손상으로 이어지게 되고 시간이 지나면 자연스럽게 퇴행성 질환이 됩니다. 노화가 아니라 근본적인 원인을 개선하지 못한 결과입니다.

3. 소둔근(小:작은 역할)

소둔근gluteus minimus은 중둔근과 같은 역할을 한다고 보면 됩니다. 두 근육 사이에 혈관과 신경이 지나가는 통로가 생기면서 나누어졌다고 합니다. 직립보행을 하게 되면서 둘로 나누어져 진화했다고 추측하는 주장도 있습니다. 중둔근과 하나의 근육이라고 봐도 무방합니다.

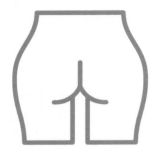

엉덩이의 세 근육은 크기에 따라 이름이 정해졌지만 이는 기능과도 동일합니다. 직립을 만드는 큰 역할을 하는 대둔근, 중심을 잡는 중둔근, 작은 역할의 소둔근이 엉덩이의 지지력을 만들어 줍니다. 엉덩이가 신체 전체를 지지하고 위쪽에 있는 허리를 잘 받쳐줘야 3중 레이어 시스템도 잘 유지될 수 있습니다.

허리는
시스템화되어 있다

　3중 레이어 시스템과 엉덩이 근육이 만든 견고한 지지력을 바탕으로 우리가 직립생활을 할 수가 있습니다. 이 둘이 흔들리면 지지력은 무너지게 되고 외력이 가해지게 됩니다. 저항력을 초과하게 되면 허리통증으로 이어지게 됩니다. 이 둘의 견고한 지지를 유지하려면 움직임을 최소화해서 흔들리지 않는 것이 좋습니다.

　그렇다면 우리의 다양한 움직임은 어떻게 만들어질까요? 앉았다가 일어나고, 일어섰다가 구부리고, 앞으로 걷다가 뒤로 돌아서 걷는 것과 같이 다양하게 움직일 때 견고한 지지력을 유지하려면 어떻게 해야 할까요? 허리와 엉덩이의 움직이지 않고 다양한 움직임을 만들면 됩니다. 이 움직임을 만드는 곳이 고관절hip joint입니다.

엉덩이뼈

허벅지뼈

고관절은 둥근 모양의 허벅지 뼈와 움푹 팬 엉덩이뼈로 연결되어 있습니다. 이를 구상관절ball and socket joint이라고 부릅니다. 구상관절은 다양한 방향으로 움직일 수 있는 특징을 갖고 있습니다. 이 고관절의 특징으로 신체의 다양한 움직임이 만들어집니다.

대표적인 움직임 운동 중에 하나인 요가yoga에서는 모든 움직임의 시작은 고관절에서 시작된다고 표현하고 있으며, 재활운동을 목적으로 개발된 필라테스pilates에서도 고관절의 움직임을 강조하고 있습니다. 고중량 바벨을 들어 올리는 파워리프팅power lifting에서도 고관절의 움직임이 가장 중요한 기초 중에 기초입니다. 우리의 일상적인 생활에서나 다양한 운동을 하기 위한 움직임에서 고관절이 잘 움직여야 하는 것입니다. 결론적으로 허리와 엉덩이가 견고하게 지지한 상태에서 고관절이 자유롭게 잘 움직이는 게 신체의 최적화된 움직임입니다.

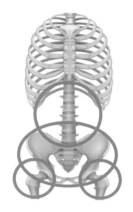

요골반 복합체

재활운동학에서는 세 가지를 '요골반 복합체lumbopelvic-hip complex'라고 부릅니다. 이 셋이 하나의 시스템으로 유기적으로 작동해야 허리에 가해지는 외력은 최소화가 되고, 저항력은 최대화가 됩니다. 외력보다 저항력이 커지게 되면 허리통증이 발생할 일은 제로입니다.

반면에 이 세 가지 중에서 하나라도 제 역할을 하지 못하게 되면 통증이 발생하게 됩니다. 고관절의 움직임이 저하되면 허리와 엉덩이가 움직여서 신체의 움직임을 만들어 내게 됩니다. 허리와 엉덩이의 불필요한 움직임으로 지지력이 감소하게 되고 허리통증으로 이어지게 됩니다. 엉덩이의 지지력이 저하되어도 마찬가지입니다. 3중 레이어 시스템이 부족한 지지력을 보충하기 위해 더욱 힘을 쓰게 되면서 과부하가 발생하게 됩니다. 허리가 피로에 누적되고 통증이 발생하는 건 시간문제입니다.

허리 지지력 ↓

엉덩이 지지력 ↓ ⟶ 허리 통증

고관절 움직임 ↓

허리통증에 시달리고 있는 사람을 관찰해 보면 한 가지만 문제를 갖고 있는 경우는 없습니다. 보통 세 가지 모두 문제를 갖고 있습니다. 3중 레이어 시스템이 망가져 있고, 엉덩이 근육은 약화되어 있고, 고관절의 움직임까지 저하된 것을 볼 수가 있습니다.

이 문제를 제대로 개선하지 못하고 통증만 치료하게 되면 당연히 허리는 점점 망가지게 됩니다. 노화가 아니라 허리 기능의 퇴화입니다. 그렇게 지지력과 움직임을 완전히 잃어버리게 되면 최악의 결과를 초래하게 됩니다.

보행보조기를 없이는 걸을 수 없게 됩니다. 노화가 아니라 허리 시스템의 기능이 모두 망가진 결과입니다. 단순히 늙어서 그런 게 아니라 기능이 퇴화되어서 그런 것입니다. 당연한 것이 아니라 제대로 알지 못해서 그렇게 되는 것입니다. 통증만 치료하는 게 아니라 기능을 회복해야 합니다.

코어 운동을 해야 한다.
허리 근육을 강화해야 한다.
엉덩이가 튼튼해야 한다.

모두 단편적인 해결책입니다. 근본적으로 완전히 허리통증을 개선하려면 전체적으로 봐야 합니다. 허리와 엉덩이가 견고하게 지지하고 고관절은 잘 움직여야 요골반 복합체가 하나의 시스템으로 유기적으로 작동됩니다. 이 책에서는 최적화된 '허리 시스템'이라고 표현하겠습니다.

허리 시스템을 최적화하면 우리는 제대로 움직일 수가 있습니다. 제대로 움직인다는 것은 신체 기능에 맞게 움직이는 것이고, 통증 없이 움직인다는 것입니다. 그리고 자유롭고 행복하게 움직인다는 것입니다. 이를 위한 방법은 단 하나뿐입니다.

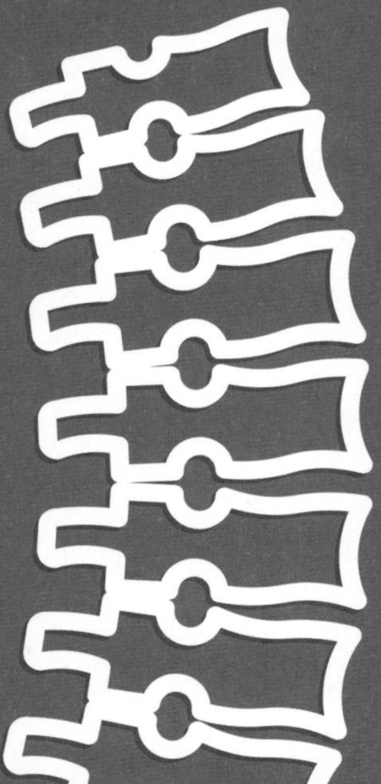

4장

운동

운동의 방향을 확실하게 정하라

운동을 왜 하세요?

퍼스널 트레이너를 하면서 회원에게 첫 질문을 합니다. 보통 답은 둘 중 하나입니다.

"살 빼서 예뻐지고 싶어요." 또는 "튼튼하고 건강해지고 싶어요." 라고 대답합니다. 그리고 이 두 가지를 합쳐서 살도 빼고 건강해지고 싶다고 합니다.

회원 : PT 받으면 가능하죠?

정선생 : 대단히 죄송합니다.

두 가지 목표를 모두 달성할 수 없습니다. 이 둘은 완전히 다르기 때문입니다.

운동 종류
- 형태 운동
  - 보디빌딩
  - 다이어트
- 기능 운동
  - 재활운동
  - 운동선수훈련

근육을 멋지게 만드는 보디빌딩 운동, 날씬한 몸매를 가꾸기 위한 다이어트 운동은 형태운동에 속합니다. 살 빼고 예뻐지고 싶다면 형태운동을 해야 합니다. 반면에 기능운동은 다릅니다. 신체의 망가진 곳을 회복하는 재활운동이나 스포츠 퍼포먼스 향상을 위한 운동선수 훈련이 기능운동에 속합니다. 문제는 많은 사람들이 서로 목적이 다른 운동을 혼동하고 있습니다. 신체 기능을 개선하기 위해 운동한다고 하면서 형태운동을 하고 있기 때문입니다.

일반적으로 운동하는 곳은 헬스장입니다. 이곳에 있는 헬스 기구는 모두 형태운동을 목적으로 만들어졌습니다. 특정 부위를 집중적으로 운동해서 근육을 크게 키우거나, 예쁜 몸매를 만들기 위한 목적입니다. 이 기구운동은 기능을 향상시키는 데 별로 도움이 되지 않는다는 뜻입니다.

가장 대표적인 허리 근육 강화운동입니다. 대부분 허리 근육이 강화되면 허리가 튼튼해지고 허리통증도 좋아질 거라고 생각합니다. 완전히 잘못되었습니다. 이 운동으로 강화되는 근육은 척추기립근입니다. 허리의 지지력을 만드는 3중 레이어 시스템의 겉근육에 해당됩니다. 앞서 겉근육은 힘을 쓰는 상황에서만 지지를 한다고 했습니다. 일상생활에서 지지력을 만드는 것은 코어와 속근육입니다. 하루종일 활동하는 데 필요한 지지력과는 아무런 관련이 없다는 뜻입니다.

또한 이 운동을 정말 열심히 하면 겉근육이 너무 강해지게 되면서 3중 레이어 시스템의 밸런스가 무너지게 됩니다. 허리의 지지력에 문제가 생기게 되고 허리통증으로 이어지는 경우도 있습니다. 허리가 좋아지려고 운동하다가 더 악화되는 끔찍한 결과를 초래합니다.

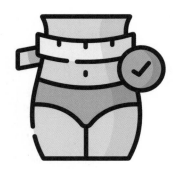

가장 많이 듣는 이야기 중 하나입니다. 체중을 감량해야 허리가 아프지 않다고 들었다고 합니다. 체중이 많이 나가서 허리에 부담이 가게 되었고 허리 질환이 발생했다고 합니다. 그래서 체중을 줄여야 허리가 낫는다고 말했다고 합니다. 그렇다면 얼마큼 줄여야 할까요? 체지방이 몇%인지, 체질량지수BMI는 어느 정도 되어야 하는지 정확한 가이드라인이 없습니다. 아주 밀접한 관련이 없기 때문입니다. 체중을 감량하면 몸통과 팔다리의 무게가 가벼워집니다. 움직이면서 허리에 가해지는 외력이 감소하게 됩니다. 문제는 허리의 저항력도 같이 감소합니다. 체중을 줄이게 되면 누구나 체지방과 근육량이 같이 줄어들게 됩니다. 3중 레이어 시스템의 지지력과 엉덩이의 지지력도 같이 줄어들게 됩니다.

체급 경기인 역도에는 무제한급이 있습니다. 보통 120kg, 많게는 150kg까지 체중이 나가는 선수들입니다. 여기에 바벨까지 들어 올리면 허리가 받치고 있어야 하는 중량은 약 400kg입니다. 체중이 요통의 원인이라면 이 선수들은 허리가 완전히 망가지고 퇴행성 질환을 앓아야 합니다. 하지만 그렇지 않습니다. 매일 중량을 드는 훈련으로 허리와 엉덩이의 지지력이 엄청나게 강하기 때문에 허리에 병적인 문제가 발생하지 않습니다.

이런 사람도 있습니다. 동네 뒷산에 올라가서 나무에 등을 치면서 소리를 지르고, 철봉에 매달리고, 물구나무서기 운동을 했더니 허리통증이 사라졌다고 합니다. 병원을 갈 필요 없고 본인이 개발한 체조를 하면 허리통증이 나을 수 있다고 주장합니다.

왜 이런 일이 일어날까요?

    운동으로 형태가 개선되었는지, 기능이 개선되었는지에 대한 차이입니다. 기능이 개선되어야 신체의 저항력이 높아지게 되고 통증은 사라지게 됩니다. 이 기능이 허리의 지지력입니다. 동네 뒷산에 올라가서 나무에 등을 치는 운동을 해도 그로 인해 허리의 지지력이 높아졌다면 통증은 없습니다. 체중이 150kg이라도 지지력이 높다면 통증은 없습니다. 헬스장에 매일 가서 근력운동을 열심히 하거나, 식단 관리를 통해서 적정 체중을 유지하더라도 지지력이 약하면 허리통증은 발생합니다.

    허리통증을 완전하게 해결하기 위해서는 허리의 지지력을 보다 높은 수준으로 발달시키는 것입니다. 그래서 이 책에서 말하고자 하는 운동의 목적은 지지력을 보강하는 것입니다.

> **보강**(補強)
> 1. 보태거나 채워서 본디보다 더 튼튼하게 함.
>
>   〈표준국어대사전〉

    단순히 허리 근력이나 유연성을 향상시키는 운동으로는 안 됩니다. 분명 조금 나아지는 것 같다가 그대로인 상태가 계속될 것입니다. 허리통증을 근본적으로 개선시킬 수 없기 때문입니다. 지지력을 보강하는 것을 목적으로 기능운동을 해야 허리통증을 완전하게 개선하고 세련된 작별인사를 할 수가 있습니다.

운동의 절대 원칙

이 책을 읽는 독자는 단순히 건강을 위해 운동하는 것이 아니라 허리통증을 완화시키려는 특별한 목적이 있습니다. 이 목적을 달성하려면 운동을 보다 체계적으로 해야 합니다. 우리가 몸을 움직이는 것 자체만으로도 허리에는 외력이 가해지게 됩니다. 운동을 하는 것도 마찬가지입니다. 허리에 외력을 가하는 행위입니다. 이때 과도한 운동을 하게 되면 허리통증이 더욱 악화됩니다. 그러면 운동을 안 하느니만 못하게 됩니다. 반면에 너무 약하게 운동을 하게 되면 아무런 효과가 나타나지 않습니다. 허리통증은 계속 그저 그런 상태로 남게 될 것입니다. 그래서 대다수는 좌절감을 느끼게 되고 포기하게 됩니다. 이런 일이 일어나지 않으려면 가장 첫 번째로 계획을 세워야 할 것은 운동을 얼마큼 할 것인지 운동량volume을 정해야 합니다.

운동량 = 저항 × 횟수 × 세트

세 가지가 곱해진 값이 운동량입니다. 운동량을 20,000을 채워야 한다, 또는 30,000을 넘어서는 안 된다고 객관적인 숫자로 정하기는 어렵습니다. 사람마다 다르고, 운동종류에 따라 다르고, 컨디션에 따라서도 달라지기 때문입니다. 수많은 변수가 있어서 절댓값으로 정할 수는 없습니다. 그렇기 때문에 세 가지가 무엇을 의미하는지를 알게 되면 운동량을 더욱 효과적으로 설정할 수가 있습니다. 이에 대해 하나씩 알아보겠습니다.

1. 저항 resistance

효과적인 운동을 위해 덤벨 또는 바벨, 고무밴드, 케틀벨 등 여러 가지 도구를 이용해서 운동합니다. 이 모든 것은 저항resistance을 위한 도구입니다. 의도적으로 저항을 만들어서 움직이는 게 저항운동 resistance exercise입니다. 무산소운동은 무게weight를 이용해서 저항을 설정하고, 유산소운동은 속도speed와 시간time으로 저항을 설정합니다. 우리가 하는 모든 운동은 저항운동인 셈입니다. 이 저항을 설정하는 이유는 한 가지입니다.

신체에 자극을 주기 위해서입니다. 자극이 가해지게 되면 신체는 점점 피로해지게 됩니다. 피로감은 영양섭취와 휴식으로 자연스럽게 회복하는데 원래 수준보다 더 높은 수준으로 회복하게 됩니다. 또다시 같은 자극이 발생했을 때 버틸 수 있게 저항력이 늘어나게 됩니다. 이 원리가 스포츠 생리학의 이론인 초과회복super compensation입니다. 이 원리를 이용해서 신체에 자극을 가하고, 회복하고, 다시 자극을 가하는 사이클을 반복하면서 보강해 나가는 것입니다.

자극 → 회복 → 보강

이때 자극의 수준을 정해야 합니다. 앞서 설명했듯이 과도한 자극은 부상의 원인이 되고 모자란 자극은 아무런 운동 효과가 없습니다. 개개인마다 적정 자극을 설정해야 합니다. 그래야 운동을 효율적으로 할 수가 있고 초과회복 효과로 지지력을 보강해 나갈 수가 있습니다.

2. 횟수 repetation

"몇 개씩 해요?"

트레이너로 근무하면서 제일 많이 듣는 질문입니다. 모든 저항운동은 10개씩 하는 게 룰이 되어버렸습니다. 무조건 10개씩 하는 게 아니라 목적에 따라 운동횟수가 달라지게 됩니다.

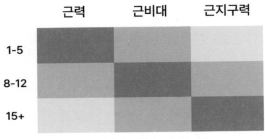

	근력	근비대	근지구력
1-5			
8-12			
15+			

* 색깔이 진할수록 높은 효과

1-5개 횟수를 순수 근력운동으로 폭발적인 파워가 목적입니다. 역도, 창던지기 같은 운동선수들의 훈련방식입니다. 자신이 가진 최대 힘으로 운동하는 만큼 부상 위험이 높습니다. 그래서 스포츠 퍼포먼스를 위한 횟수이고, 신체 건강을 위한 운동과는 거리가 멉니다.

8-12개는 근육의 크기를 키우기 위한 횟수입니다. 어느 정도 근육량이 늘어야 힘이 생기게 됩니다. 허리와 엉덩이의 근육량을 늘리고 지지력을 보강하기에 가장 효율적인 횟수입니다.

15개 이상은 근지구력 운동입니다. 근육이 부하에 대해 지속적으로 대응할 수 있는 능력입니다. 하루종일 우리 몸을 지지해야 하는 허리에 가장 중요한 능력입니다. 만성 허리통증 환자나 운동을 처음 시작하는 초보자는 근지구력 운동으로 시작하는 게 좋습니다.

3. 세트 Set

"이것도 3세트 해야 돼요?"

두 번째로 많이 듣는 질문입니다. 왜 굳이 힘들게 3세트씩 해야 되는 건지를 물어보는 분들이 많습니다. 1세트만 운동하는 것으로는 운동량이 충분치 않습니다. 저항과 횟수를 통해 근육에 자극을 가하고 세트로 반복되었을 때 보강 효과를 높일 수가 있습니다.

3세트 운동하는 것은 스포츠 생리학에서 가장 효율적인 세트 수라고 밝혀졌습니다. 때에 따라서는 한 가지 운동을 5세트를 할 수도 있고, 10세트를 할 수도 있습니다. 개개인의 체력 수준에 따라 운동량을 설정하는 것입니다.

즉, 꼭 3세트가 가장 효과적이지는 않다는 말입니다. 특정 부분을 더욱 강화하고 싶다면 세트 수를 더욱 늘려서 운동을 해야 좋은 효과를 가져갈 수가 있는 것입니다.

저항, 횟수, 세트로 운동량을 설정하고 이 운동이 프로그램으로 구성되면 총 운동량total volume이 됩니다.

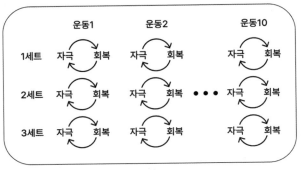

총 운동량

운동1의 저항과 횟수는 자극이고 운동1을 마치면 휴식하면서 회복하게 됩니다. 이렇게 1세트가 구성됩니다. 이렇게 3세트를 반복하게 되면 운동1이 완전히 끝나게 됩니다. 운동2에서도 자극과 회복으로 운동을 하고 이 과정이 계속 반복되면 하나의 운동 프로그램이 됩니다. 이 운동 프로그램으로 운동한 양이 총 운동량이 됩니다.

허리통증이 있는 사람은 운동량이 너무 많아지게 되면 정확한 피드백이 옵니다. 바로 통증입니다. 운동을 하는 도중에 통증이 느껴졌다면 자극이 너무 강한 것입니다. 자극이 허리에 가해지는 외력이고 저항력이 견디지 못하면 통증이 발생하기 때문입니다. 이렇게 되면 저항이나 횟수를 줄여줘야 합니다. 통증이 나타나면 운동이 잘못된 것도 아니고 어느 부분이 손상된 것도 아닙니다. 저항력이 초과해서 신체에서 나타나는 경고신호입니다. 이 반응을 잘 살피면서 운동량을 조절해 나가야 합니다.

이런 경우도 있습니다. 운동을 할 때는 전혀 통증이나 불편함이 없었지만 운동 후 다음 날 통증이 심해지는 경우입니다. 총 운동량이 너무 많아 허리에 가해지는 자극이 너무 강해서 회복하기가 버거운 것입니다. 통증으로 불편함이 발생해서 일상생활에 지장이 있다면 총 운동량을 줄여줘야 합니다.

운동량이 적으면 어떤 피드백이 올까요? 아무런 피드백이 없습니다. 운동을 하고 나서도 근육통이나 피로감이 전혀 없을 수가 있습니다. 이 상태가 지속된다면 운동을 하긴 하는데 좋아지는 거 같지도 않고 통증은 여전히 계속됩니다. 그래서 운동이 해결책이 될 수 없다고 생각하고 통증신호를 차단하는 치료를 받습니다. 여기서부터 악순환이 시작됩니다. 허리의 지지력은 점점 감소하게 되고 시간이 갈수록 만성통증이 되어 나아지지 않게 됩니다.

운동 효과를 극대화하려면 어느 정도의 자극이 적정한 것인지를 스스로 찾아야 합니다. 신체에서 발생하는 여러 신호들을 느끼고 개선점을 찾아야 합니다. 그래야 지지력을 효과적으로 보강할 수가 있습니다.

적당히 해서는
낫지 않는다

어느 정도의 저항이 적당한지, 몇 개씩 해야 효과적인지, 3세트가 적당하다는데 부족한 건 아닌지 여전히 모호하게 느껴지실 겁니다. 객관적인 지표를 모든 사람에게 적용할 수가 없기 때문입니다.

어떤 사람은 10kg을 들어도 별로 무겁다는 느낌이 들지 않고, 하루에 2만 보씩 걸어도 전혀 힘들지 않은 사람도 있습니다. 또 다른 사람은 5kg만 들어도 굉장히 무겁고, 5천 보를 걷기도 어려운 사람이 있습니다.

나에게 딱 맞는 운동량을 찾으려면 감각적으로 잘 느끼고 정해야 합니다. 얼마큼 힘든지를 파악하고 그 느낌을 따라 운동량을 조절해 나가야 합니다. 그래야 너무 과도하거나 모자라지 않은 적정한 자극을 찾아 최적의 운동량을 설정할 수가 있습니다.

RPE	느낌
10	젖 먹던 힘까지..
9	1개는 더 할 수 있을 것 같다.
8	2개 정도 더 할 수 있을 것 같다.
7	3-4개 정도 더 할 수 있다.
6	운동되는거 같고 적당하다.
5	몸풀기 정도 된다.
4 이하	하나도 안 힘들다.

추천 : 중급자, 건강한 성인
추천 : 초보자, 어르신

운동자각도RPE(Rating of Perceived Exertion)는 스포츠 현장에서 코치, 트레이너 등이 많이 사용하고 있는 지표입니다. 스스로의 느낌을 객관적인 숫자로 표현하면서 코치와 선수, 트레이너와 고객과의 피드백을 통해 운동량을 선정하는 것입니다. 이 RPE를 스스로에게 적용하면 됩니다. 느낌을 통해 적정 운동량을 설정할 수가 있습니다. 이느낌을 좀 더 구체적으로 살펴보겠습니다.

RPE-10은 축구 선수가 90분 경기를 뛰고 연장전에 돌입하여 전속력으로 달리는 강도와 같습니다. 힘들어서 쓰러지기 직전의 운동량입니다. 굉장히 높은 강도이고 운동선수나 장기간 훈련한 숙련자외에는 이 강도로 운동해서는 안 됩니다. 과도한 자극은 신체에 과도한 외력이 가해지는 것이고 실제 손상이 일어날 확률이 굉장히 높아지게 됩니다.

RPE-4 이하는 가벼운 신체활동을 하는 정도입니다. 공원에서 반려견과 여유롭게 산책하거나, 백화점에서 쇼핑하면서 천천히 걷는정도입니다. 운동이라고 보기는 어렵습니다. 자극이 약하기 때문에저항운동으로 인한 초과회복이 일어나지 않습니다.

RPE-7이 가장 추천하는 강도입니다. 저항 10kg으로 횟수는 열 번씩 운동한다고 하면 10개를 다 하고 나서 3-4개 정도 더 할 수 있는 정도의 운동량입니다. 근육을 강화하고 기능이 향상되는 데 가장 효과적입니다. 여기서 저항, 횟수, 세트를 늘려가면서 RPE 7-8 사이로 조절하면서 운동하는 것을 추천합니다.

RPE-6은 많이 힘들지 않은 상태입니다. 저항운동은 10개를 다 하고 나서도 5-6개 이상 할 수 있는 느낌입니다. 유산소운동을 하게 되면 옆 사람과 대화할 수 있을 정도의 운동량입니다. 이 구간은 운동경험이 없는 초보자, 만성 허리통증 환자, 어르신에게 좋은 강도입니다. 별로 높다고 생각하지 않은 운동량도 이들에겐 부담이 될 수가 있습니다. 운동을 하면서 외력이 가해지고 조금이라도 위험하다고 느껴지게 되면 잠재적인 손상으로 인한 통증이 발생하게 됩니다. 그래서 처음부터 무리하지 않고 보수적으로 천천히 RPE를 조금씩 높여나가는 것이 좋습니다.

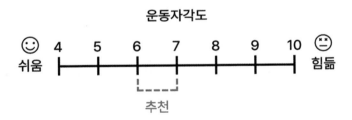

허리통증이 있는 사람들은 통증에 대한 두려움으로, 보수적으로 운동하는 경향이 있습니다. 너무 쉬운 운동을 지속하게 된다면 부족한 자극으로 지지력이 보강되지 않습니다. 매일매일 운동을 열심히 했어도 허리통증은 좀처럼 호전되지 않는 것입니다. 남들과 다르게 바쁜 시간을 쪼개가며 운동을 했으나 남들과 비슷하게 퇴행성 질환으로 이어지기도 합니다.

RPE를 고려하지 않아서 운동량을 잘못 설정했기 때문입니다. 나에게 맞는 운동인지 판단하려면 RPE를 기준으로 삼으시기 바랍니다. 그래야 효과적이고 지속적으로 허리의 지지력을 보강해 나갈 수가 있습니다.

하던 대로만 하면
낫지 않는다

 RPE를 기반으로 나에게 꼭 맞는 운동량을 설정했습니다. 가장 효과적이고 최선의 운동 프로그램으로 허리의 지지력이 보강되어 갑니다. 통증은 자연스럽게 줄어들게 될 것입니다.

 하지만 여기서 멈추면 안 됩니다. 이 책의 목적은 허리통증을 적당히 개선하는 게 아닙니다. 완전히 개선하는 것이 핵심 목적입니다. 일상생활을 하다가 갑자기 허리통증이 발생하는 일이 없어야 하고 빙판길에 미끄러져 넘어져도 삐끗하지 않는 견고한 지지력을 갖춘 허리를 만들어야 합니다. 금쪽같은 자녀나 손자를 번쩍 안아 올려도 아무렇지 않은 허리를 만들어야 합니다.

 이를 위해서는 운동량은 계속 업그레이드되어야 합니다. 처음 설정한 운동 프로그램이 아무리 완벽하더라도 시간이 지나면 완벽함은 사라지게 됩니다. 우리 몸이 운동에 적응하게 되면서 점점 쉬워집니다. 가해지는 자극에 적응을 했다는 것이고 동일한 자극으로는 더 이상 보강이 되지 않습니다. 지지력을 더욱 높은 수준으로 보강해가려면 운동량을 점차적으로 늘려나가야 합니다.

> **점진적 과부하**(progressive overload)
> 근골격계와 신경계에 가해지는 스트레스의 점진적 증가를 주로 하는 근력 트레이닝 방식.
>
> 〈위키백과〉

트레이닝의 핵심원리인 점진적 과부하입니다. 운동량을 점진적으로 늘려나가면서 신체에 가해지는 자극의 강도를 높여나가는 것입니다. 자극이 높아지게 되면 회복의 양이 높아지게 되고 결과적으로 허리의 지지력은 점점 보강됩니다.

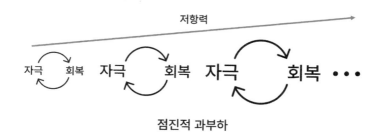

점진적 과부하

어떻게 보면 굉장히 당연한 원리입니다. 외국인과 자유롭게 대화하기 위해 영어를 배운다면 알파벳만 배우고 끝나면 안 됩니다. 먼저 알파벳을 배우고, 단어를 배우고, 문장을 배우고, 회화를 배워야합니다. 배우기만 해서도 안 됩니다. 발음을 익히고 말이 자연스럽게 나와야 최종 목적인 외국인과 소통을 할 수가 있습니다. 어떤 목적을 달성하기 위해서는 단계별로 배우고 익히면서 학습강도를 늘려나가야 합니다.

허리의 지지력을 보강하는 것도 마찬가지입니다. 기초운동을 배우고, 응용운동을 배우고, 실생활과 관련 있는 동작들을 익혀나가야 견고한 지지력을 만들 수가 있습니다. 하지만 허리통증을 개선하는 운동을 하는 대다수는 그렇게 하고 있지 않습니다.

허리 재활운동으로 검색하면 제일 많이 나오는 운동입니다. 이 운동들은 분명 과학적으로 증명된 좋은 운동입니다. 다음 장인 ADIOS 운동에서도 이를 토대로 하고 있습니다. 하지만 이것만으로는 허리통증이 완전히 사라진다고 할 수 없습니다. 점진적 과부하 원리를 이용해 운동량을 늘려나갈 수가 없기 때문입니다.

처음 이 운동을 시작하면 힘들다고 느낄지는 몰라도 며칠 반복하게 되면 금방 적응이 됩니다. 이후 부하는 RPE-5 이하로 하나도 힘들지 않은 운동이 되고 허리는 더 이상 보강이 되지 않고 현상 유지만 됩니다. 허리통증이 조금 좋아지는 것 같다가 결국 그 상태로 남게 되고 일상생활을 하면서 갑자기 무거운 물건을 들거나, 미끄러져 넘어지거나, 운동을 하다가 큰 외력이 발생하게 되면 허리는 다치게 됩니다. 그래서 허리통증을 앓는 환자들은 한 번 다치면 절대 완치는 안 되고 평생 고생한다고 합니다. 나름대로 시간을 쪼개서 열심히 운동했는데도 불구하고 완전하게 낫지 않으니 어쩔 수 없는 것이라고 자책하게 됩니다.

　최적의 치료, 효과 좋은 운동, 확실한 방법을 쓰더라도 그때뿐입니다. 견고한 지지력이 만들어지지 않는다면 허리통증은 불현듯 다시 나타나게 됩니다. 이런 불상사를 초래하지 않으려면 점진적 과부하의 원리로 차근차근 허리의 지지력을 늘려나가야 합니다.

걷기가 최고의
운동이라고?

TV방송에서도 자주 볼 수 있고, 유튜브에서도 수많은 콘텐츠에서 허리통증을 해결하기 위한 운동을 소개합니다. 스트레칭, 코어운동, 자세교정운동, 허리 근력 강화운동 등 수많은 운동요법이 있습니다.

이 운동으로 허리가 나아졌나요?

많은 허리 환자들이 걷기가 최고의 운동이라고 주장합니다. 실제로 운동요법보다 걷기로 허리통증이 완화되었다는 사람이 더 많습니다. 운동요법은 의학적인 근거도 없는 유사의학이라고 무시당하는 게 현실입니다.

이유는 하나입니다. 허리 재활운동이 걷기보다 효과가 없기 때문입니다. 오히려 운동을 잘못해서 통증이 더 악화된 경우도 많습니다. 트레이너가 하라는 대로 그대로 했는데, 통증이 심해지거나 유튜브를 보고 열심히 따라 했는데 증상이 악화되기도 합니다. 이런 경험을 하게 되면 허리를 무리하지 않으면서 걷기 운동하는 게 유일한 해결책이라고 생각합니다.

허리 재활운동은 왜 걷기보다 못할까요?

가장 큰 이유 중 하나는 허리 재활운동을 누워서만 하기 때문입니다. 허리에 가해지는 외력을 최소화하는 누운 자세로 운동해서 통증이 더 이상 악화되지 않기 위함입니다. 통증이 심하거나 운동을 처음 접하는 사람은 누운 상태로 하는 운동을 시작합니다. 하지만 문제는 계속 누운 자세를 고수한다는 것입니다.

누운 자세는 일상생활과 별 관련이 없습니다. 우리가 누워서 생활하지 않기 때문입니다. 우리는 서서 움직이는 직립생활을 합니다. 단순히 서 있는 게 아니라 앉았다가 일어서기도 하고, 섰다가 앉기도 하면서 다양하게 움직입니다. 따라서 서서 움직이는 동안 허리가 견고하게 지지하지 못하면 허리통증이 발생하게 됩니다.

누워서 하는 운동을 열심히 해서 견고한 지지력을 만든다고 해도 서서 움직이는 동안 제대로 지지하지 못하게 되면 허리 재활운동의 효과는 제로가 되는 것입니다.

허리를 삐끗하는 순간도 마찬가지입니다. 가만히 누워 있다가, 앉아 있다가 갑자기 허리가 아픈 사람은 없습니다. 어떤 동작을 하다가 갑자기 삐끗하면서 허리통증이 발생합니다.

따라서 서서 움직이는 동안 허리가 견고하게 지지되어야 통증이

발생하지 않습니다. 걷기운동은 서서 움직이는 운동이고 이때 지지
력이 보강되어서 누운 자세에서의 재활운동보다 효과가 있었던 것입
니다.

역시 걷기가 최고일까요?

하지만 걷기는 명백한 한계가 있습니다. 지지력을 보강하기 위해
서는 저항운동을 해야 합니다. 핵심은 점진적으로 저항을 늘려나가
야 한다고 했습니다. 걷기운동의 저항을 늘리려면 체중을 늘리는 방
법이 유일합니다. 무거운 가방을 메거나 중량 있는 무언가를 들고
걷기운동을 해야 저항력이 늘어나고 걷기운동으로 지지력이 보강됩
니다.

이렇게 운동하는 사람은 아무도 없습니다. 굉장히 비효율적이기
때문입니다. 그래서 직립과 연관 있는 저항운동으로 지지력을 보강
하는 것이 가장 효과적입니다.

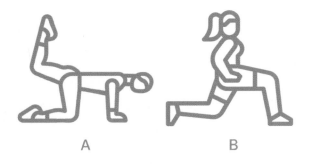

A   B

두 운동은 신체를 지지하는 엉덩이 근육을 단련하는 저항운동입니

다. 앞서 설명한 근육의 형태를 만들기 위한 목적이라면 두 운동은 큰 차이가 없습니다. 엉덩이 근력을 향상시키고 모양을 예쁘게 만들 수 있습니다. 하지만 기능 향상의 관점으로 보면 완전 다른 운동입니다.

A 운동의 다리를 들어 올려서 엉덩이 근육을 수축하는 운동을 합니다. B 운동은 발바닥으로 체중을 지지한 상태에서 엉덩이 근육운동을 하게 됩니다. 같은 엉덩이 근육운동이지만 자극의 형태, 직립 여부, 체중의 저항에 따라 보강되는 기능은 완전 다릅니다. 직립상태에서 중력을 이겨내고 견고한 허리의 지지력을 만드는 운동은 B입니다. 신체 전체의 지지력이 향상되기 때문입니다.

그렇다면 A운동은 잘못되고 불필요한 운동일까요? 아닙니다. 운동의 단계에 따라 서로 다른 운동입니다. 운동을 처음 시작하는 초보자나 만성 허리통증으로 근력이 약화되었다면 A 운동으로 엉덩이의 기초 근력을 만들어야 합니다. 그리고 나서 B 운동으로 신체 전체의 지지력을 점진적으로 보강해 나가야 하는 것입니다.

그렇지 않고 병원에서 알려준 운동, 유튜브에서 봤던 재활운동, 논문으로 증명된 허리운동 등을 누워서만 열심히 하면 아무런 효과가 없을 수도 있습니다. 우리의 일상생활과 전혀 관련이 없기 때문입니다.

기초를 잘 다지고 반드시 직립자세에서 움직이는 운동을 해야 합니다. 다시 한번 강조하지만 적당히 허리통증이 좋아지는 게 아니라 완전히 허리통증이 개선되는 게 이 책의 목적입니다.

나름대로 열심히 해도 쉽게 낫지 않는다

    퍼스널 트레이너를 하면서 많은 사람들을 만났습니다. 운동에 대한 긍정적인 피드백도 많이 받았습니다. 그에 못지않게 부정적인 피드백도 많았습니다. 사람들마다 무한 반복되는 현상이 있습니다. 통증이 어느 정도 나아지면 운동을 중단하는 것입니다. 시간적, 경제적인 이유도 있지만 가장 큰 이유는 꾸준하지 못한 마음가짐입니다.

    통증이 심할 때는 당장 일상생활이 불편하기 때문에 열심히 운동도 합니다. 시간이 지나면 자연스럽게 통증은 줄어들고 일상생활에 큰 지장은 없어지게 됩니다. 그러면 운동을 중단합니다. 짧게는 몇 주 또는 수개월 후 다시 통증이 재발해서 찾아오는 경우가 많습니다. 다시 운동을 하면 통증은 완화됩니다. 그러면 또다시 중단합니다. 다시 통증은 재발하고 이 과정을 무한 반복합니다. 점점 지쳐가고 통증은 완전히 사라지지 않는 것이라고 단정 짓게 됩니다. 왜 이렇게 반복될까요?

운동을 처음 시작하면 효과는 즉각적으로 나타납니다. 근력이 빠르게 상승하면서 지지력이 만들어지고 통증은 즉각적으로 완화됩니다. 빠른 효과에 환자들의 만족도도 가장 높은 시기입니다. 하지만 이 효과는 오래가지 않습니다. 짧게는 1시간, 길게는 이틀을 넘기지 못합니다. 분명 좋아지는 것 같은데 운동을 중단하게 되면 증상이 똑같이 반복됩니다.

이유는 처음 운동을 하게 되면 실제로는 근육이 만들어지는 것이 아니라 힘을 전달하는 근신경계가 활성화되기 때문입니다. 병원에서 받는 물리치료, 한의원의 침 치료, 치료사의 도수요법도 근육에 자극을 가해서 근신경계의 활성화가 일어나게 하는 원리입니다.

근신경계가 활성화되면 지지력과 관련된 근육의 힘이 잘 들어가게 되어서 지지력이 상승하게 됩니다. 문제는 이 효과가 오래가지 않는다는 것입니다. 자극이 중단되면 사라지게 됩니다. 그래서 시간이 지나면 통증이 재발하는 것입니다.

근신경계 활성 = 즉시

근육 강화 = 6-8주 이상

결합조직 강화 = 12-16주 이상

실제 근육이 강화되려면 최소 6-8주 이상의 시간이 소요됩니다. 처음 운동을 시작하게 되면 근신경계의 활성화로 근육이 생긴 느낌이지만 사실은 그렇지 않습니다. 적절하게 설정한 운동량으로 지속적으로 근육에 자극이 가해져야 실제 근육이 만들어지게 됩니다. 잠깐 만들어진 지지력이 아닌 온전한 내 것이 되려면 적어도 6주 이상의 시간이 필요한 것입니다.

이후에도 운동을 꾸준히 이어가면 관절을 둘러싸고 있는 결합조직(인대, 힘줄 등)이 강화됩니다. 근육과 결합조직이 모두 보강이 되면 제대로 견고한 지지력을 갖출 수가 있게 됩니다.

근육이 보강되는 것과 함께 아주 중요한 것이 있습니다. 요골반 시스템입니다. 허리, 엉덩이, 고관절이 제대로 연결되는 유기적으로 움직이는 시스템을 갖추는 것입니다.

시스템이 잘 갖춰지게 되면 완전히 허리통증을 개선할 수가 있습니다. 절대 아프지 않고, 노화를 역행하는 튼튼한 허리가 만들어집니다. 이 시스템을 갖추는 것은 많은 시간이 필요합니다. 사람에 따라 다르지만 적어도 6개월 이상의 시간이 필요합니다. 기존의 망가진 시스템을 새로운 시스템으로 교체하는 데 걸리는 시간입니다.

망가진 시스템 최적화 시스템

- 무너진 허리 지지력
- 무너진 엉덩이 지지력
- 움직임이 저하된 고관절

- 견고한 허리 지지력
- 견고한 엉덩이 지지력
- 잘 움직이는 고관절

난생처음 수영, 골프 같은 운동을 배우면 완전히 몸에 익히는 데 시간이 걸립니다. 일상생활에서 필요한 요리를 배울 때도 마찬가지입니다. 도마에서 칼질을 해보면 매우 서툽니다. 요골반 시스템도 마찬가지입니다. 몸으로 익혀서 완전히 습득하기 위해서는 시간이 필요합니다.

그래서 우리가 꾸준히 하지 않으면 안 되는 것입니다. 하루종일 책상 앞에 앉아 있고, 되도록이면 엘리베이터를 타고, 되도록이면 자동차를 타고, 되도록이면 편한 소파에 반쯤 누운 자세로 있으면서 허리의 지지력은 점점 감소하게 되었고 통증이 발생했습니다. 허리 통증에게 세련된 작별인사를 하려면 제대로, 꾸준히 하는 방법뿐입니다.

이를 위해서는 확실한 기준이 있어야 합니다. TV방송, 건강칼럼, 유튜브 등에서 말하는 빠르고 쉬운 방법에 휘둘리지 않는 근본적인 체계를 정립하고 있어야 합니다. 그러면 통증은 전혀 두렵지 않게 됩니다. 통증이 발생한 것은 나의 지지력이 약한 탓이고, 이를 어떻게 보강하는지 명확하게 알고 있으면 됩니다. 반드시 허리통증에게 '아디오스'라고 작별인사를 하시기 바랍니다.

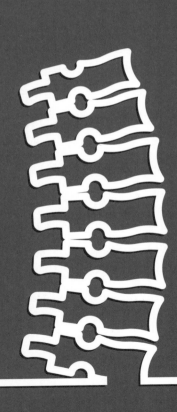

5장

ADIOS
운동

사용법

책, TV 방송, 유튜브에서 이런 콘텐츠를 많이 접해보셨을 겁니다. 여러 콘텐츠에서 소개하는 운동은 분명 의학적으로, 과학적으로 검증된 운동입니다. 하지만 가장 중요한 게 빠졌습니다.

바로 단계phase입니다. 대부분 허리 환자들은 자신이 어떤 상황인지를 모르고 무턱대고 따라 합니다. 기초운동을 건너뛰고 심화운동을 하기도 하고 반대로 심화운동으로 넘어가지 않고 몇 년 동안 기초운동만 반복하는 사람도 있습니다.

단계는 생각하지 않은 채 무턱대고 BEST 운동만 따라 하면 별다른 효과가 없을 것입니다. 나에게 전혀 맞지 않는 단계의 운동을 하고 있다면 통증이 더 심해질 수도 있습니다.

그래서 사람들은 의심을 하게 됩니다. 운동이 잘못된 건 아닌지, 운동이 별 효과가 없는지, 나에게 맞지 않는 건지 점점 더 의심하게 됩니다. 이때 우연히 통증을 바로 없애는 최신방법이라는 광고를 보게 됩니다. 불편하고, 괴롭고, 짜증 나는 마음에 통증을 당장 없애는 방법을 쓰게 됩니다. 당연하게도 일시적으로 통증이 사라지지만 시간이 지나면 결국 재발합니다. 이 과정이 무한 반복되면서 허리는 한번 다치면 절대 낫지 않는 것이라고 단정 짓게 됩니다.

허리통증을 개선하려면 반드시 체계적인 단계를 거쳐 가면서 허리의 견고한 지지를 보강해 나가야 합니다. 기초운동으로 허리 지지의 기반을 다지고, 심화운동을 통해서 더욱 튼튼한 지지를 완성시켜야 합니다. 하나하나의 단계를 제대로 거치고, 꾸준히 한다면 허리통증을 완전하게 개선할 수가 있습니다. 이 책에서 소개하는 ADIOS 운동은 5단계로 나눠집니다.

Awareness   인지
Debug   오류수정
Input   입력
Output   출력
Strong   튼튼함

첫 번째 단계인 Aawareness는 기초적인 지지력을 만드는 코어의 작동을 인지하는 것부터 시작합니다. 허리에 가장 근본적인 지지가 어떻게 만들어지는지 스스로 느껴보고 기초를 다지는 단계입니다. 이 단계가 제대로 되지 않는다면 나머지 단계로 넘어가는 것은 아무런 의미가 없습니다. 뿌리가 잘 내려야 나무가 잘 자라듯이 기초를 잘 다져야 허리의 견고한 지지력을 만들 수가 있습니다.

두 번째 단계 D^{debug}는 허리 시스템의 오류를 수정합니다. 오류는 잘못된 움직임입니다. 허리, 엉덩이, 고관절이 잘못 움직이면서부터 허리 시스템이 무너지게 되고 가해지는 외력은 커집니다. 잘못된 움직임을 수정하고 허리 시스템이 제대로 작동해서 올바르게 움직이는 것이 이 단계의 목표입니다.

세 번째 단계 I^{input}는 본격적으로 지지력을 보강하는 단계입니다. 앞서 A와 D에서 만든 허리 시스템을 최적화하고 이를 토대로 기초 저항운동을 합니다. 최적화된 시스템을 기반으로 허리의 지지력을 더욱 효과적으로 보강할 수가 있습니다.

네 번째 단계 O^{output}는 우리의 실제 생활과 연관 있는 움직임을 바탕으로 저항운동을 합니다. 이 움직임은 직립입니다. 직립자세로 저항운동을 하고 신체 전체의 지지력을 보강하는 단계입니다.

최종 단계인 S^{strong}는 통증을 해결하는 것을 넘어서 앞으로도 절대 아프지 않는 강력한 지지를 완성시키는 단계입니다. 갑작스러운 외력에도 통증이 발생하지 않는 튼튼한 허리를 만들 수 있습니다.

ADIOS 운동 5단계를 제대로, 꾸준히 하면 허리통증에게 세련된 작별인사를 할 수가 있습니다. 작별인사를 넘어 허리통증이 발생하지 않게 만들 수도 있습니다. 또한 갑작스러운 사건으로 인해 허리통증이 발생하더라도 모든 체계를 아는 여러분은 스스로 해결할 수 있을 것입니다.

ADIOS 운동을 시작해 보겠습니다.

법칙

ADIOS 운동의 모든 동작에서 허리를 지지하는 허리 시스템을 유지하는 게 핵심입니다. 다시 한번 강조하면 허리와 엉덩이가 견고하게 지지하고, 고관절이 잘 움직이는 것이 올바른 허리 시스템입니다. 앉고, 걷고, 뛸 때는 물론이고 아침에 머리 감을 때도 밤에 잠을 자는 동안에도 허리 시스템을 계속 유지되어야 합니다. 그래야 허리에 가해지는 외력이 최소화되고 지지력은 견고하게 유지됩니다. ADIOS 운동은 올바른 허리 시스템을 익히고 지지력을 보강하는 체계적인 운동 프로그램입니다.

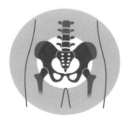

올바른 지지

무너진 지지

올바른 지지는 허리뼈, 엉덩이뼈, 허벅지뼈가 원래 자리를 그대로 유지되는 것입니다. 허리의 지지력은 상승하고 가해지는 외력은 최소화가 됩니다. 올바른 지지가 유지되어야 통증이 발생하지 않습니다. 반면에 무너진 지지는 뼈가 틀어지고 휘어지면서 원래 자리를 이탈하게 됩니다. 허리의 지지력은 저하되고 허리에 가해지는 외력은 높아지게 됩니다. 이때 외력의 크기에 따라 허리가 손상될 위험을 느끼거나(잠재적인 손상) 손상된다면(실제 손상) 통증이 발생합니다.

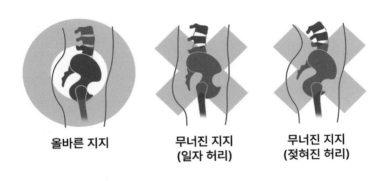

올바른 지지　　**무너진 지지**　　**무너진 지지**
　　　　　　　　　(일자 허리)　　**(젖혀진 허리)**

무너진 지지는 일자 허리나 젖혀진 허리에도 해당됩니다. 허리의 정상적인 만곡curve이 일직선으로 변하게 되면 충격을 원활하게 흡수하지 못합니다. 즉, 지지력이 저하됩니다. 움직일 때마다 허리에 외력은 가해지는데 이를 저항하지 못하게 되면 통증이 발생하고 퇴행성 질환으로 이어지게 됩니다. 바로 우리가 잘 알고 있는 허리디스크입니다. 올바른 지지보다 앞쪽으로 구부러지면 허리뼈 사이에 있는 디스크는 뒤쪽으로 밀려나게 됩니다. 뒤쪽으로 지나가는 척추 신경을 압박하게 되면서 통증, 다리 저림 등과 같은 증상이 발생합니다. 허리디스크의 가장 근본적인 원인은 무너진 지지입니다.

젖혀진 허리도 마찬가지입니다. 허리뼈 뒤쪽(등)의 공간이 줄어들고 뼈 사이의 압박이 생깁니다. 허리뼈가 충돌하게 되고 이 현상이 반복되면 손상위험에 처하게 됩니다. 통증이 발생하게 되고 원인이 해결되지 않으면 손상되는 건 시간문제입니다. 허리디스크 다음으로 흔한 질환인 척추 후관절 증후군입니다.

허리뼈, 엉덩이뼈, 허벅지뼈의 정상적인 위치를 유지하는 것이 올바른 지지입니다. 이를 유지시켜 주는 것이 허리 시스템입니다. 우리의 모든 움직임에서 올바른 지지를 유지해야 허리통증이 발생하지 않습니다. ADIOS 운동의 모든 동작은 허리 시스템이 잘 가동되고 올바른 지지를 유지하는 것을 최우선으로 합니다.

큐잉

이쪽으로 뻗으세요. 배에 힘주세요. 가슴을 펴세요.

큐잉cueing은 운동을 가르칠 때 동작을 올바르게 할 수 있게 설명하는 것을 뜻합니다. 레슨을 하면서 말로 설명하기도 하고, 손으로 잡아주기도 하고, 직접 시범을 보이기도 합니다. 올바른 운동 동작을 만들기 위해 큐잉을 적극적으로 활용합니다. "이렇게 하세요.", "아니, 그렇게 말고 이렇게 하세요." 이렇게 말이나 행동으로 지시하는 것보다는 운동하는 사람이 어떤 느낌을 갖고 동작을 해야 하는지 설명해 줘야 이해하기가 쉽습니다.

책에서는 이 느낌을 표현하기 위해 화살표를 사용했습니다. 화살표 방향은 힘의 방향입니다. 어떤 방향으로 힘을 써야 올바른 동작이 나오는지를 표기했습니다. 화살표의 방향은 세 가지입니다.

↑ 머리   ↓ 발바닥   ↕ 복부

머리의 위쪽 화살표는 올라가는 느낌입니다. 키를 최대한 크게 선다는 느낌을 갖는 것입니다. 하늘에서 낚싯줄을 정수리에 걸고 위쪽으로 당기는 느낌과도 같습니다. 이때 코어는 활성화되고 지지력이 높아지게 됩니다.

발바닥에 표기되어 있다면 지면을 누르라는 표현입니다. 발바닥 전체로 땅바닥을 으깬다는 느낌입니다. 지면을 강하게 누르면 엉덩이 근육이 활성화되고 지지력이 높아지게 됩니다.

복부는 화살표가 양쪽 방향으로 표기되어 있습니다. 복부를 내밀면서도 안쪽으로 조이는 느낌입니다. 복식 호흡으로 배를 앞으로 내밀면서도 동시에 조여야 합니다. 그래야 복압이 상승하면서 지지력이 높아지게 됩니다. 이 느낌은 누군가 복부를 때리려고 할 때 힘주는 느낌과 동일합니다. 또한 힘차게 방귀를 뀔 때 배에 힘주는 느낌과도 같습니다.

세 가지 느낌을 최대한 살려서 ADIOS 운동 동작을 올바르게 하는 데 큰 도움이 됩니다. 그래야 지지력을 효과적으로 보강해 나갈 수가 있습니다.

＋ ―

운동을 효과적으로 하려면 운동량을 잘 설정해야 합니다. 운동량을 설정하는 데 중요한 것은 운동 강도입니다. 허리통증이 있는 사람들은 너무 강하게 운동을 하면 자극이 높아지게 되고 통증이 심해지기도 합니다. 반대로 너무 약하게 운동을 하면 지지력이 보강되지 않고 통증이 개선되는 효과가 없습니다. 반드시 개개인의 상황에 따라, 통증 정도에 따라, 체력에 따라 운동 강도를 조절해야 합니다.

ADIOS 운동에서는 과정에 따라 5단계로 구성되어 있습니다. 5단계에서 하나의 운동에서도 +와 −로 운동 강도를 조절합니다. 같은 운동에서 +운동은 강도가 높아지고 운동량이 증가합니다. −운동은 운동 강도가 낮아지고 운동량이 감소합니다.

걷기를 예로 들어 설명해 보겠습니다. 허리통증을 개선하기 위해서 걷기운동을 매일 1시간씩 하기로 했습니다. 며칠이 지나니 걷기 때문인지 몰라도 허리통증이 더 심해졌습니다. 전통적인 우리의 방식은 "No pain, No gain."을 외치며 통증을 참고 걷기운동을 고수

합니다.

정말 미련한 방법입니다. 통증이 심해진다는 것은 허리의 지지력을 초과하는 외력이 가해진다는 뜻입니다. 그대로 걷기운동을 계속한다면 통증은 점점 심해집니다. 이런 경우에는 걷기 운동량을 줄여줘야 합니다. 운동 시간을 줄일 수도 있고 자극을 줄이기 위해 수영장 물속에서 걸을 수도 있습니다.

걷기운동을 열심히 하는데도 아무런 효과가 없는 경우는 어떻게 해야 할까요? 걷기 운동량이 충분치 않은 상황입니다. 운동 시간을 늘리거나 자극을 높이기 위해 오르막이나 계단을 오르는 걷기운동을 해야 합니다. 그래야 허리와 엉덩이의 지지력이 보다 높은 수준으로 보강됩니다.

운동 강도를 +하거나 -하는 방법은 다양합니다. ADIOS 운동에서는 +운동과 -운동으로 운동 강도를 조절합니다. 운동을 하다가 허리에 무리가 간다는 생각이 들면 -로 운동 강도를 낮춰줘야 합니다. 반대로 하나도 힘들지 않다면 +로 운동 강도를 높여줘야 합니다. 반드시 자신에 맞는 운동 강도를 설정해서 점진적으로 운동량을 늘려나가야 통증 없이 지지력을 효과적으로 보강해 나갈 수가 있습니다.

1단계
Awareness

A에서는 허리의 지지력이 어떻게 형성되는지 인지하고 이를 바탕으로 기초를 만드는 단계입니다. 핵심은 복식 호흡입니다. 복식 호흡으로 허리의 지지력을 만드는 3중 레이어의 핵심인 코어를 활성화해야 합니다. 활성화된 코어가 복압을 형성하고 가장 기초적인 허리의 지지력을 만들어 줍니다.

원래 우리는 복식 호흡을 잘했습니다. 태어난 지 12개월 이전의 아기가 호흡하는 모습을 관찰하면 알 수가 있습니다. 누워 있는 아기는 배를 볼록하게 부풀려 가며 복식 호흡을 아주 잘합니다. 복식 호흡을 통해 만들어진 복압을 기반으로 팔다리를 버둥거리고, 뒤집고, 앉고, 일어서는 동작을 익혀갑니다. 이렇게 복압을 바탕으로 신체의 지지력을 만들고 직립보행을 합니다. 아기는 점점 성장하게 되고 2차 성징기(사춘기)를 지나면서 속근육과 겉근육의 힘이 강해지게 됩니다. 따라서 복식 호흡을 제대로 하지 않아도 직립으로 활동하는

데 아무런 지장이 없게 됩니다.

　여기서부터 문제가 시작됩니다. 가장 기본이 되는 복식 호흡으로 지지력을 만드는 것이 아니라 속근육이나 겉근육의 힘으로 지지력을 만들어서 움직이게 됩니다. 근육이 건강하고 튼튼한 20대 때는 별 문제가 없습니다. 하지만 시간이 지날수록 근력이 점점 감소하게 되고 허리의 지지력도 감소합니다. 버틸 수 있는 한도를 초과하게 되면 발생하는 신호가 통증입니다. 가장 근본적인 원인은 복식 호흡으로 기초 지지력을 제대로 형성되지 못해서이고, 결과가 허리통증입니다.

　이 문제를 해결하려면 호흡으로 만들어지는 복압을 원래대로 되돌려야 합니다. 가장 편안한 자세인 누운 자세에서 호흡을 인지하는 것부터 시작해서 아기가 누워 있는 자세를 바탕으로 지지력의 기초를 회복하는 게 A단계의 목표입니다.

　반드시 명심해야 할 것은 복식 호흡으로 복압이 제대로 만들어지지 않는다면 아무리 허리에 좋은 운동을 해도 효과는 없습니다. 그런데, 많은 사람들에게 호흡운동을 권하면 대수롭지 않게 생각합니다. 복식 호흡은 몇 번만 해봐도 금방 익힐 수 있습니다. 너무 쉽고 지루해서 대충 넘어가는 경향이 있습니다.

　ADIOS 운동에서 제일 중요한 단계가 A입니다. 여기서 A를 열심히 백 번씩 해서 복압을 늘리는 것이 아닙니다. A만으로는 복압이 보강되는 데 한계가 있습니다. A는 기초일 뿐이고 복압을 인지하는 단계입니다. 그래서 열심히 하는 것보다 수시로 하는 게 중요합니다. 조금이라도 허리에 불편함을 느낀다면 매일 호흡이 제대로 되고 있는지, 복압을 잘 형성하고 있는지를 체크해야 합니다. A만 제대로 해도 허리통증이 적어도 절반 이상이 해결될 것입니다. 열심히 하는 것보다는 제대로 익혀보시기 바랍니다.

핵심은 보강이 아니라 인지입니다.

A1 호흡

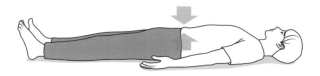

목적 : 복식 호흡 인지

① 편안한 자세로 눕는다. (머리에 베개를 베도 좋다.)
② 호흡을 4초간 깊게 들이마신다.
③ 몸통(가슴, 등, 배)에 충분히 공기가 들어오는지 느껴본다.
④ 공기를 몸통에 가둔다는 느낌으로 2초간 참는다.
⑤ 4초간 호흡을 천천히 뱉는다.
⑥ 2초간 멈춘다.

운동량(저항 × 횟수 × 세트)
운동량은 중요하지 않다.
호흡을 느끼고 인지하는 것이 중요하다.

목표 RPE 4 - 하나도 힘들지 않다.

목적 : 복압 인지

① 편안한 자세로 눕는다. (머리에 베개를 베도 좋다.)
② 요가블록으로 배꼽 아랫부분을 가볍게 누른다.
③ 블록을 밀어내는 느낌으로 천천히 호흡을 들이마신다.
④ 밀어낸 상태를 유지하며 4초간 호흡을 참는다.
⑤ 압박을 유지하며 천천히 호흡을 내쉰다.
⑥ 2초간 멈춘다.

포인트
블록을 복압으로 밀어내는 느낌을 인지해야 한다.

운동량(저항 × 횟수 × 세트)
블록으로 복부를 누르는 힘 × 10회 × 1세트

목표 RPE 5 - 별로 힘들지는 않다.

A2 **아기 자세**

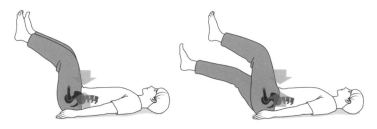

목적 : 복압 인지 & 보강

① 아기 자세로 호흡을 마시고 복압을 만든다.

② 한쪽 다리를 지면 쪽으로 천천히 내린다. (무릎은 가볍게 구부러짐 유지)

③ 다리가 내려가는 동안 허리가 지면에서 떨어지지 않아야 한다.

④ 호흡을 참으면서 복압을 유지하고 4초간 멈춘다.

⑤ 다시 아기 자세로 돌아오면서 호흡을 천천히 내쉰다.

⑥ 다리를 번갈아가며 동작을 한다.

포인트

복압을 유지하고 허리가 지면에서 떨어지지 않아야 한다.

운동량(저항 × 횟수 × 세트)

(복압 + 다리 무게) × 왕복 10회 × 2세트

목표 RPE 6 – 적당히 운동하는 느낌이다.

A2

올바른 아기 자세와
잘못된 아기 자세

올바른 아기 자세

---

1) 허리
– 복압으로 허리의 정상적인 만곡을 유지해야 허리의 지지가 만들어진다.

2) 엉덩이
– 엉덩이를 지면에 제대로 붙여야 허리의 지지가 만들어진다.

3) 다리
– 다리를 적당히 들어 올려 허리가 지면에서 떨어지지 않아야 지지가 만들어진다.

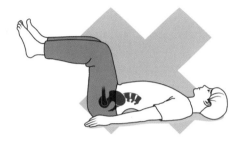

잘못된 아기 자세

1) 허리
- 복압이 풀리고 허리가 젖혀지면 지지가 무너진다.

2) 엉덩이
- 엉덩이가 들리면서 허리가 젖혀지면 지지가 무너진다.

3) 다리
- 다리를 과도하게 내리면 허리가 지면에서 떨어지면서 지지가 무너진다.

A2 아기 자세 +

목적 : 복압 인지 & 보강

① 아기 자세에서 팔을 앞으로 들고 숨을 들이마시고 복압을 만든다.
② 한쪽 다리를 지면 쪽으로 내리면서 양팔을 위쪽으로 든다.
③ 다리가 내려가고 팔을 드는 동안 복압을 유지하고 허리가 지면에서 떨어지지 않아야 한다.
④ 호흡을 참으면서 복압을 유지하고 4초간 멈춘다.
⑤ 다시 아기 자세로 돌아오면서 호흡을 천천히 내쉰다.
⑥ 다리를 번갈아가며 동작을 한다.

포인트
복압을 유지하고 허리가 지면에서 떨어지지 않아야 한다.

운동량(저항 × 횟수 × 세트)
(복압 + 다리 무게 + 팔 무게) × 왕복 10회 × 2세트

목표 RPE 6.5 – 조금 힘들어진 느낌이다.

A2 **아기 자세** ++

목적 : 복압 인지 & 보강

① 아기 자세에서 팔을 앞으로 들고 숨을 들이마시고 복압을 만든다.
② 한쪽 다리를 내리고 양팔을 위쪽으로 들고 머리를 들어 올린다.
③ 복압을 만들고 허리가 지면에서 떨어지지 않아야 한다.
④ 호흡을 참으면서 복압을 유지하고 4초간 멈춘다.
⑤ 다시 아기 자세로 돌아오면서 호흡을 천천히 내쉰다.
⑥ 다리를 번갈아가며 동작을 한다.

포인트
복압을 유지하고 허리가 지면에서 떨어지지 않아야 한다.

운동량(저항 × 횟수 × 세트)
(복압 + 다리 무게 + 팔 무게 + 머리 무게) × 왕복 10회 × 2세트

목표 RPE 6.5 – 조금 힘들어진 느낌이다.

2단계
Debug

컴퓨터 시스템의 오작동이 발생하는 것을 버그bug라고 합니다. 이 오작동을 수정하고 개선하는 작업을 디버그debug라고 합니다. 허리 시스템의 오작동으로 잘못 움직이는 것이 버그입니다. 이 버그로 허리의 지지력이 무너지게 되고 통증으로 이어지게 됩니다. 이 버그를 수정하고 최적화된 허리 시스템을 회복하는 게 D단계의 목표입니다. A에서 코어의 기초 지지를 갖춘 상태로 움직임 운동을 시작하는 단계가 D입니다.

D에서 소개하는 운동은 여러 콘텐츠를 통해 많이 접했던 운동일 것입니다. 동작이 단순해서 따라 하기는 쉽습니다. 하지만 제대로 하기는 상당히 어렵습니다. 신체 조건의 끝판왕인 국가대표 선수들도 제대로 하지 못해서 쩔쩔매는 경우를 볼 수 있습니다.

그만큼 제대로 하기는 어렵고 동작만 흉내 내는 건 아무런 효과가 없다는 뜻입니다. 지지력이 제대로 갖추고 동작을 하고 있는지 수시로 확인해야 합니다.

이를 확인하는 방법은 운동하는 도중에 몸통이 흔들리는지를 스스로 느껴봐야 합니다. 몸통이 흔들린다는 것은 허리가 흔들린다는 뜻이고 지지가 흔들린다는 뜻입니다. 이 상태로 운동을 계속하게 되면 안타깝게도 아무런 효과가 없습니다.

오랫동안 통증을 앓아온 만성 허리 환자들을 관찰해 보면 팔 하나만 움직여도 몸통이 많이 흔들립니다. 아주 단순한 움직임에서도 몸통이 흔들리고 허리도 같이 흔들립니다. 허리에 불필요한 움직임이 발생하는 것입니다. 일상생활에서 다양하게 움직이는 동안 허리가 불필요하게 흔들리게 되고 지지력이 점점 무너지게 되는 것입니다.

이 상태로 걷기운동을 하면 어떻게 될까요? 10,000보를 걸으면 10,000번 허리를 흔드는 것과 같습니다. 이렇게 하루하루 계속 불필요하게 허리가 흔들리면 통증을 넘어 퇴행성 질환으로 이어집니다. 열심히 운동을 해보지만 허리가 나아지기는커녕 악화됩니다. 이런 최악의 사태를 막으려면 D를 제대로 하는 게 중요합니다.

A와 D는 운동량을 많이 해서 근력을 강화하는 단계가 아닙니다. 지지력을 보강하는 게 주목적이 아니라는 뜻입니다. 그보다는 허리 시스템을 제대로 갖추는 게 중요합니다. 근육을 운동시키는 것이 아니라 시스템을 학습시킨다고 생각하고 운동하셔야 견고한 지지력을 갖출 수가 있습니다.

보강보다는 학습입니다.

D1 네발 자세

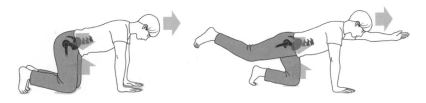

목적 : 허리 시스템 학습

① 손바닥과 무릎 그리고 발바닥의 앞꿈치를 지면에 대고 고양이 자세를 만든다.
② 호흡을 들이마시고 복압을 만들고 머리를 앞쪽으로 미는 느낌을 갖는다.
③ 팔과 다리를 교차로 들어 올린다.
④ 3초간 유지하면서 지면을 지지하고 있는 팔다리가 흔들리지 않아야 한다.
⑤ 반대쪽 팔과 다리를 들어 올리면서 번갈아 실시한다.

포인트
팔다리가 움직이는 동안 몸통이 흔들리지 않아야 한다.

운동량(저항 × 횟수 × 세트)
(지지하는 팔과 다리 + 흔들리지 않는 몸통) × 왕복 10회 × 3세트

목표 RPE 6 – 적당히 운동하는 느낌이다.

D1 네발 자세 +

목적 : 허리 시스템 학습

① 손바닥과 무릎 그리고 발바닥의 앞꿈치를 지면에 대고 고양이 자세를 만든다.

② 호흡을 들이마시고 복압을 만들고 머리를 앞쪽으로 미는 느낌을 갖는다.

③ 팔과 다리를 교차로 들어 올린다.

④ 3초간 유지하면서 지면을 지지하고 있는 팔다리가 흔들리지 않아야 한다.

⑤ 들고 있던 팔다리를 몸통 쪽으로 가져왔다가 다시 뻗는다.

⑥ 한쪽 팔다리만 계속 반복한다.

포인트

팔다리가 움직이는 동안 몸통이 흔들리지 않아야 한다.

운동량(저항 × 횟수 × 세트)

(지지하는 팔과 다리 + 흔들리지 않는 몸통) × 왕복 10회 × 3세트

목표 RPE 6 – 적당히 운동하는 느낌이다.

D1

올바른 네발 자세와
잘못된 네발 자세

올바른 네발 자세

---

1) 허리
- 팔다리가 움직이는 동안 허리의 정상 만곡을 유지해야 지지력이 만들어진다.

2) 팔다리
- 팔다리를 과도하게 뻗지 않아야 허리의 정상 만곡이 유지되고 지지력이 만들어진다.

잘못된 네발 자세

---

1) 허리
- 허리가 과도하게 젖혀지게 되면 지지력이 무너진다.

2) 팔다리
- 팔다리를 과도하게 뻗으면 허리가 젖혀지게 되고 지지력이 무너진다.

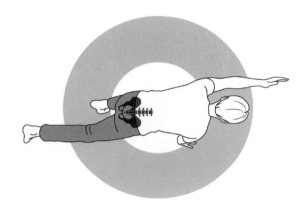

올바른 네발 자세

1) 허리
– 팔다리가 움직이는 동안 허리가 휘어지지 않아야 지지가 만들어진다.

2) 엉덩이
– 엉덩이가 한쪽으로 치우치지 않아야 지지가 만들어진다.

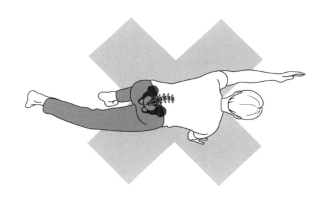

잘못된 네발 자세

---

1) 허리
- 팔다리가 움직이는 동안 허리가 휘어지면서 지지가 무너진다.

2) 엉덩이
- 엉덩이가 한쪽으로 치우치면서 허리뼈가 휘어지고 지지가 무너진다.

D2 **힙힌지**

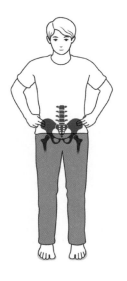

목적 : 고관절 움직임 학습

① 골반뼈가 튀어나온 부분을 손가락으로 짚는다.

② 호흡을 들이마시고 복압을 만든다.

③ 무릎을 가볍게 구부리고 엉덩이를 뒤로 미는 느낌을 갖는다.

④ 골반뼈와 허벅지 사이에 손가락이 집히는 느낌을 갖는다.

⑤ 손가락으로 짚은 부분을 앞으로 밀면서 일어난다.

포인트

허리는 움직이지 않고 고관절만 움직여야 한다.

허리가 구부러지거나 젖혀지지 않게 주의한다.

운동량(저항 × 횟수 × 세트)

체중 × 20-30회 × 2세트

목표 RPE 5 - 별로 힘들지 않다.

올바른 힙힌지와
잘못된 힙힌지

올바른 힙힌지

---

1) 허리
– 허리의 정상 만곡을 유지해야 지지가 만들어진다.

2) 고관절
– 고관절을 제대로 움직여야 허리가 구부러지지 않고 지지가 만들어진다.

3) 무릎
– 무릎을 가볍게 구부려야 고관절을 잘 움직일 수가 있고 지지가 만들어진다.

잘못된 힙힌지

1) 허리
– 허리가 구부러지면서 지지가 무너진다.

2) 고관절
– 고관절의 움직임이 저하되면 허리가 구부러지고 지지가 무너진다.

3) 무릎
– 무릎이 적당히 구부러지지 않으면 고관절의 움직임이 저하되고 지지가 무너
진다.

D3 힙힌지 일어서기

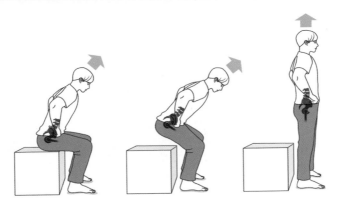

목적 : 고관절 움직임 학습

① 보폭은 골반보다 넓게 하고 허리를 펴고 바른 자세로 앉는다.
② 힙힌지를 이용해 몸통을 앞으로 숙인다.
③ 상자에서 엉덩이를 가볍게 떼면서 발바닥으로 밀고 일어선다.
④ 힙힌지로 천천히 상자에 앉는다.

포인트
정확하게 힙힌지를 만드는 것이 중요하다.

운동량(저항 × 횟수 × 세트)
체중 × 15회 × 3세트

목표 RPE 5.5 – 조금 힘들다.

잘못된
힙힌지 일어서기

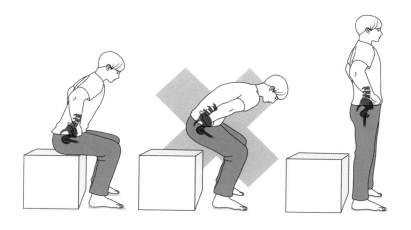

1) 허리
- 일어서는 순간 허리가 구부러지면 지지가 무너진다.

2) 고관절
- 힙힌지가 제대로 되지 않아서 고관절의 움직임이 저하되면 허리가 구부러지게
  되고 지지가 무너진다.

3단계
Input

앞서 A에서 기초 지지를 만들고 D에서 오류를 수정했습니다. Iinput 부터는 본격적인 저항운동으로 지지력을 보강하는 단계입니다. 근육에 자극을 가하고 회복하는 과정을 거치면서 근육은 보강되고 지지력이 만들어집니다. 근력운동을 시작한다고 하면 대부분 이렇게 질문합니다.

어디 운동이에요?

이 질문은 형태운동과 기능운동을 혼동하는 것입니다. 형태운동은 특정 근육을 키워서 외형을 가꾸기 위한 운동이고 기능운동은 신체의 기능을 보강하는 운동이라고 했습니다. ADIOS 운동을 하는 목적은 허리 근육이나 복근을 키우기 위한 운동이 아니라 망가진 기능을 보강하고 원래대로 회복하는 것이 목적입니다. 그 기능은 허리의 지지력입니다.

허리통증이 있다면 어떤 운동을 하더라도 허리에 외력이 가해집니다. 운동을 하면서 다시 통증이 재발하는 경우가 많습니다. 이런 이유로 I에서는 허리에 가해지는 외력을 최소화하면서 저항운동을 하기 위해 매트운동부터 시작합니다. 누운 자세로 운동을 하면 허리에 부담이 적기 때문입니다. 허리에 통증이 재발하지 않게 주의하면서 천천히 강도를 올려가면 됩니다.

또한 I에서 주의할 것은 특정 근육에 과도하게 힘이 들어가는 것은 운동 동작이 불균형하고 잘못되었다는 뜻입니다. 형태운동과 같이 한 근육에 집중적으로 자극을 주는 게 아닙니다. 자극을 분산시켜서 허리에 과도한 외력이 가해지지 않게 운동을 해야 지지력을 효과적으로 보강해 나갈 수가 있습니다. 그래서 동작을 하면서 허리가 과도하게 펴지거나 구부러지지 않게 수시로 체크하셔야 합니다.

특정 근육을 키우는 게 아니라 지지력을 보강합니다.

11 브릿지

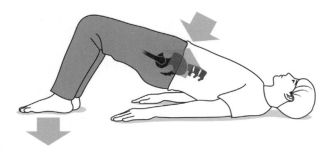

목적 : 허리 & 엉덩이 지지력 보강

① 바르게 누워서 무릎을 구부리고 발바닥을 지면에 고정한다.

② 호흡을 들이마시고 복압을 만든다.

③ 허리와 엉덩이를 들어 올리고 5-10초간 유지한다.

④ 호흡을 내쉬면서 천천히 내려온다.

⑤ 지면에 엉덩이가 닿자마자 다시 들어 올리고 반복한다.

포인트
시작부터 끝까지 허리의 정상 만곡을 유지하는 느낌으로 한다.

운동량(저항 × 횟수 × 세트)
체중(양 발 지지) × 10-15회 × 3세트

목표 RPE 6 - 적당히 운동하는 느낌이다.

D2

올바른 브릿지와
잘못된 브릿지

올바른 브릿지

---

1) 허리

— 허리의 정상 만곡을 유지하면서 지지가 만들어진다.

2) 엉덩이

— 엉덩이를 과도하게 들어 올리지 않아야 허리의 정상 만곡이 유지되고 지지가
만들어진다.

잘못된 브릿지

1) **허리**
- 허리가 과도하게 젖혀지면서 지지가 무너진다.

2) **무릎**
- 엉덩이를 과도하게 들어 올려서 허리가 젖혀지게 되고 지지가 무너진다.

ll 브릿지 +

목적 : 브릿지 운동강도 높이기

① 호흡을 들이마시고 복압을 만든다.

② 브릿지 자세를 만든다.

③ 다리 한쪽을 들어 올리고 5-10초간 유지한다.

④ 다시 양발 브릿지 자세로 돌아온다.

⑤ 호흡을 내쉬면서 천천히 내려온다.

⑥ 지면에 엉덩이가 완전히 닿자마자 다시 들어 올리고 반복한다.

포인트
시작부터 끝까지 허리의 정상 만곡을 유지하는 느낌으로 한다.

운동량(저항 × 횟수 × 세트)
체중(한 발 지지) × 왕복 10회(5-10초 유지) × 3세트

목표 RPE 7 – 힘들지만 할 수 있다.

12 플랭크

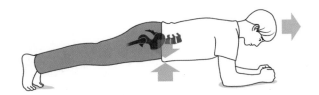

목적 : 허리 지지력 보강

① 엎드린 자세에서 양팔로 땅을 지지한다.

② 호흡을 들이마시고 복압을 만든다.

③ 발바닥의 앞꿈치로 지지하면서 복부와 엉덩이를 들어 올린다.

④ 30–60초 동안 유지하면서 호흡은 들이쉬고 내쉬고를 반복한다.

⑤ 엎드린 자세로 돌아와서 호흡을 고른다.

⑥ 다시 들어 올리고 반복한다.

포인트

오래 버티는 것이 중요한 게 아니다.

허리를 제대로 지지하는 자세를 만드는 것이 중요하다.

운동량(저항 × 횟수 × 세트)

체중 × 5회(30–40초 유지) × 3세트

목표 RPE 6 – 적당히 운동하는 느낌이다.

잘못된 플랭크

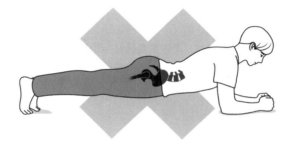

1) 허리
- 허리가 과도하게 젖혀지게 되면 지지가 무너진다.

2) 엉덩이
- 엉덩이가 밑으로 내려가면 허리가 젖혀지게 되고 지지가 무너진다.

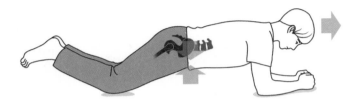

목적 : 플랭크 운동량 낮추기

① 엎드린 자세에서 양팔로 땅을 지지한다.

② 호흡을 들이마시고 복압을 형성한다.

③ 양쪽 무릎으로 지면을 지지하고 복부와 엉덩이를 들어 올린다.

④ 30–60초 동안 유지하면서 호흡은 짧게 한다.

⑤ 엎드린 자세로 돌아와서 호흡을 고른다.

⑥ 다시 들어 올리고 반복한다.

포인트
플랭크 자세가 너무 힘들다면 강도를 낮추고 제대로 해야 한다.

운동량(저항 × 횟수 × 세트)
체중 × 왕복 5회(30–40초 유지) × 3세트

목표 RPE 6 – 적당히 운동하는 느낌이다.

12 플랭크 +

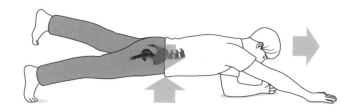

목적 : 플랭크 운동량 높이기

① 엎드린 자세에서 양팔로 땅을 지지한다.

② 호흡을 들이마시고 복압을 형성한다.

③ 발바닥의 앞꿈치로 지지하면서 복부와 엉덩이를 들어 올린다.

④ 다리를 한쪽을 들고 반대쪽 손바닥으로 지면을 지지한다.

⑤ 5-10초 동안 유지하면서 호흡을 참고 강한 복압을 유지한다.

⑥ 엎드린 자세로 돌아와서 호흡을 고르고 다시 들어 올린다.

포인트

플랭크 운동강도를 높인다.

반드시 허리의 지지를 유지해야 한다.

운동량(저항 × 횟수 × 세트)

체중 × 왕복 5회(5-10초 유지) × 3세트

목표 RPE 8 - 매우 힘들다.

I3 **사이드 플랭크**

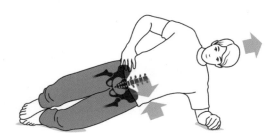

목적 : 허리 & 엉덩이 지지력 보강

① 다리를 구부리고 옆으로 눕는다.
② 무릎과 정강이 옆면으로 지면을 지지한다.
③ 호흡을 들이마시고 복압을 만든다.
④ 엉덩이를 들어 올리고 5-10초 동안 유지한다.
⑤ 옆으로 누운 자세로 돌아와서 호흡을 고른다.

포인트
허리와 엉덩이의 지지를 유지해야 한다.
특히 엉덩이 바깥쪽의 중둔근 지지가 중요하다.

운동량(저항 × 횟수 × 세트)
체중 × 왕복 5회(5-10초 유지) × 3세트

목표 RPE 7 – 힘들지만 할 수 있다.

I3 사이드 플랭크 +

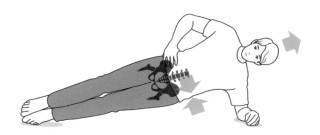

목적 : 허리 & 엉덩이 지지력 보강

① 다리를 펴고 옆으로 눕는다.

② 발의 바깥쪽으로 지면을 지지한다.

③ 호흡을 들이마시고 복압을 만든다.

④ 엉덩이를 들어 올리고 5-10초 동안 유지한다.

⑤ 엉덩이를 내리고 옆으로 누운 자세로 돌아와서 호흡을 고른다.

포인트

사이드 플랭크 운동강도를 높인다.

허리와 엉덩이의 지지를 유지해야 한다.

운동량(저항 × 횟수 × 세트)

체중 × 왕복 10회(5-10초 유지) × 3세트

목표 RPE 7.5 - 상당히 힘들다.

4단계
Output

A.D.I. 세 단계를 제대로, 꾸준히 했다면 허리의 지지력은 보강되고 통증이 분명 감소했을 거라 생각합니다. 하지만 이 정도로 만족하면 안 됩니다. 아직 우리의 일상생활과 밀접한 관련이 있는 지지력은 제대로 보강되지 않았습니다.

네 번째 단계인 Ooutput은 우리말로 출력이라는 의미입니다. 일상생활의 움직임과 관련 있는 운동을 하는 것입니다. 이 움직임은 직립입니다. 직립자세에서 지지력을 보강하는 게 O단계의 목적입니다.

이 단계부터는 적극적으로 저항을 늘려나가야 합니다. 케틀벨이나 덤벨로 저항을 추가해서 운동량을 늘려서 더욱 견고한 지지력을 만드는 단계입니다.

그동안 대부분 허리 재활운동은 직립운동을 간과하고 누워서만 했습니다. 충분한 지지력이 만들어지지 않아서 어느 정도 나은 것 같다가도 다시 통증이 재발하는 악순환을 계속되었습니다. 그래서 이 단계가 ADIOS 운동의 가장 핵심입니다.

또한 O의 특징이 있습니다. 모두 한쪽 발만 딛고 하는 외발운동입니다. 많은 사람들이 양쪽 엉덩이 중에 한쪽의 기능이 저하되고 무너지면서 좌우불균형이 발생합니다. 엉덩이의 지지력이 무너지게 되고 위쪽에 위치하고 있는 허리도 한쪽으로 무너지게 됩니다. 이 상태로 움직이면서 결국 허리통증이 발생하게 됩니다.

그래서 엉덩이의 지지력을 효과적으로 보강하려면 두발운동(예:스쿼트)보다는보다는 외발운동을 해야 합니다. 두발운동을 하면 좌우 중어느 쪽에 지지력이 무너졌는지 알 수가 없습니다. 상대적으로 강한쪽으로 체중이 기울어지게 되고 두발운동을 하면 할수록 좌우불균형은 심해지게 됩니다. 허리통증을 개선하려고 하는 운동이 오히려 독이 됩니다.

엉덩이 균형을 맞추고 지지력을 제대로 보강하려면 좌, 우측 중에서 약한 쪽을 더 집중적으로 운동해야 합니다. O단계의 운동을 좌, 우측을 해보면 바로 알아차리실 겁니다. 강한 쪽은 편하게 할 수 있는 반면 약한 쪽은 불편한 느낌이 있을 겁니다. 지지력이 약해졌고 기능이 저하되었기 때문입니다. 반드시 약한 쪽을 집중적으로 운동하시기 바랍니다. 그래야 균형이 맞춰지고 견고한 지지력을 만들 수가 있습니다.

적극적으로 운동량을 늘려야 합니다!

01 아디오스 런지

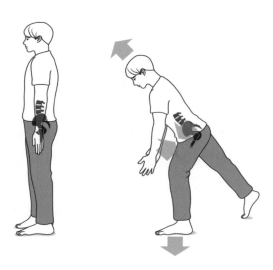

목적 : 허리 & 엉덩이 지지력 보강, 고관절 움직임 보강

① 선 자세로 호흡을 들이마시고 복압을 만든다.

② 한쪽 다리를 뒤로 보내고 발끝을 지면에 가볍게 댄다.

③ 앞쪽 다리의 무릎을 가볍게 구부리고 몸통을 앞으로 기울인다.

④ 앞쪽 다리에 중심을 온전히 싣는다.

⑤ 5-8초 동안 유지하고 호흡은 참으면서 높은 복압을 유지한다.

⑥ 선 자세로 돌아와서 호흡을 고른다.

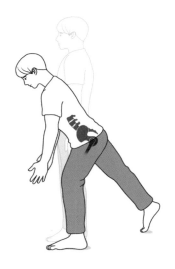

포인트

정수리를 잡아당기는 느낌을 갖고 척추라인을 길게 만든다.

앞쪽 발바닥에 체중의 90%를 싣는다.

운동량(저항 × 횟수 × 세트)

체중(앞쪽 한 발 지지) × 왕복 10회(5-8초 유지) × 3-5세트

목표 RPE 7.5 - 상당히 힘들다.

01

올바른 아디오스 런지와
잘못된 아디오스 런지

올바른 아디오스 런지

---

1) 허리
- 허리가 정상 만곡을 유지하면 지지가 만들어진다.

2) 고관절
- 힙힌지가 제대로 되면 허리의 지지가 만들어진다.

3) 발바닥
- 앞쪽 발바닥에 중심이 온전히 실려야 엉덩이의 지지가 만들어진다.

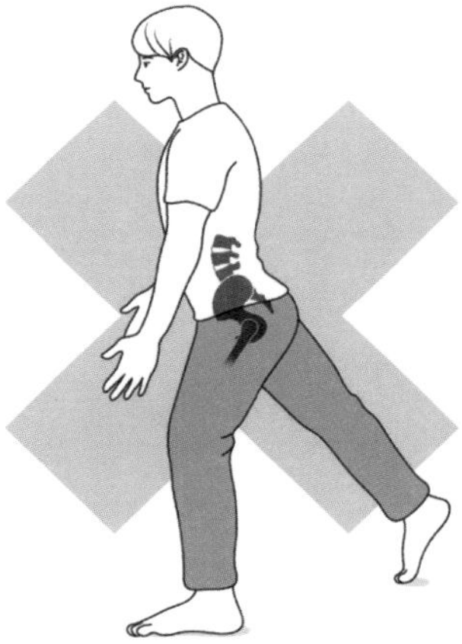

잘못된 아디오스 런지

---

1) 허리
- 허리가 뒤로 젖혀지면 지지가 무너진다.

2) 발바닥
- 중심이 앞쪽 발바닥에 실리지 않으면 엉덩이의 지지력이 만들어지지 않는다.

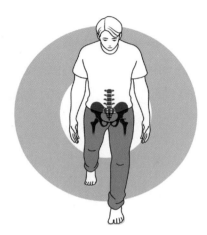

올바른 아디오스 런지

---

1) 허리
- 곧은 허리는 지지를 만든다.

2) 엉덩이
- 엉덩이의 올바른 정렬이 지지를 만든다.

3) 무릎
- 무릎의 중심이 잘 잡혀야 허리의 지지를 만든다.

잘못된 아디오스 런지

1) 허리
− 허리가 옆으로 휘어지면 허리의 지지가 무너진다.

2) 엉덩이
− 엉덩이의 바깥쪽으로 빠지면서 허리의 지지가 무너진다.

3) 무릎
− 무릎이 안쪽으로 모이면서 허리의 지지가 무너진다.

01 아디오스 런지 -

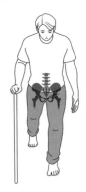

목적 : 아디오스 런지 운동강도 낮추기

- 앞쪽 발과 반대 손으로 스틱을 짚는다.
- 스틱의 지지는 허리와 엉덩이의 지지를 보충해 주고 운동강도를 낮춰준다.
- 올바른 동작은 허리에 가해지는 외력을 줄여주고 지지력을 보강하는 데 도움
  이 된다.

포인트

스틱 없이 지지가 무너진다면 스틱을 적극 활용해야 한다.

허리와 엉덩이의 지지를 만들고 유지하는 것이 최우선이다.

운동량(저항 × 횟수 × 세트)

(앞쪽 한 발 지지–스틱) × 왕복 10회(5–8초 유지) × 3–5세트

목표 RPE 7.5 – 상당히 힘들다.

01 아디오스 런지 +

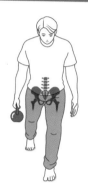

목적 : 아디오스 런지 운동강도 높이기

- 앞쪽 디딤발과 반대 방향으로 무게(케틀벨, 덤벨 등)를 든다.
- 무게는 저항을 늘리고 운동량을 높여준다.
- 적극적으로 무게를 활용하여 지지력을 높은 수준으로 보강한다.

포인트

지지가 무너진다면 무게를 들어서는 안 된다.

무게를 들고도 지지를 유지하는 것이 핵심이다.

운동량(저항 × 횟수 × 세트)

(앞쪽 한 발 지지+케틀벨) × 왕복 10회(3–5초 유지) × 3–5세트

목표 RPE 8 – 매우 힘들다.

02 아디오스 사이드 런지

목적 : 허리 & 엉덩이 지지력 보강, 고관절 움직임 보강

① 양쪽 다리를 벌리고 선 자세에서 한쪽 발을 한 발짝 뒤로 보내고 발끝을 지면에 가볍게 댄다.
② 호흡을 들이마시고 복압을 만든다.
③ 앞쪽 다리를 무릎을 가볍게 구부리고 중심을 앞쪽 발바닥에 온전히 싣는다.
④ 3–5초 동안 유지하면서 호흡은 참고 높은 복압을 유지한다.
⑥ 원래 자세로 돌아와서 호흡을 고른다.

포인트
발바닥으로 지면을 강하게 누르면서 허리와 엉덩이의 지지를 계속 유지해야 한다.

운동량(저항 × 횟수 × 세트)
체중(한 발 지지) × 왕복 10회(3–5초 유지) × 3–5세트

목표 RPE 7.5 – 상당히 힘들다.

02

올바른 아디오스 사이드 런지와
잘못된 아디오스 사이드 런지

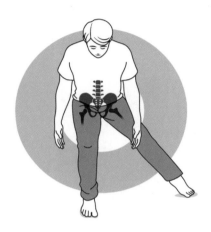

올바른 아디오스 사이드 런지

1) 허리
- 곧은 허리는 지지를 만든다.

2) 엉덩이
- 엉덩이의 올바른 정렬이 지지를 만든다.

3) 무릎
- 무릎의 중심이 잘 잡혀야 허리의 지지를 만든다.

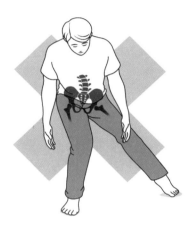

잘못된 아디오스 사이드 런지

1) 허리
- 허리가 옆으로 휘어지면 허리의 지지가 무너진다.

2) 엉덩이
- 엉덩이의 바깥쪽으로 빠지면서 허리의 지지가 무너진다.

3) 무릎
- 무릎이 안쪽으로 모이면서 허리의 지지가 무너진다.

02 아디오스 사이드 런지 -

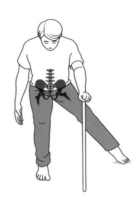

목적 : 아디오스 사이드 런지 운동강도 낮추기

- 앞쪽 발과 반대 손으로 스틱을 짚는다.
- 스틱의 지지는 허리와 엉덩이의 지지를 보충해 주고 운동강도를 낮춰준다.
- 올바른 동작은 허리에 가해지는 외력을 줄여주고 지지력을 보강하는 데 도움이 된다.

운동량(저항 × 횟수 × 세트)
(앞쪽 한 발 지지+스틱) × 왕복 10회(3-5초 유지) × 3-5세트

목표 RPE 7.5 - 상당히 힘들다.

02 아디오스 사이드 런지 +

목적 : 아디오스 사이드 런지 운동강도 높이기

- 앞쪽 디딤발과 반대 방향으로 무게(케틀벨, 덤벨 등)를 든다.
- 무게는 저항을 늘리고 운동량을 높여준다.
- 적극적으로 무게를 활용하여 지지력을 높은 수준으로 보강한다.

운동량(저항 × 횟수 × 세트)

(앞쪽 한 발 지지+케틀벨) × 왕복 10회(3-5초 유지) × 3-5세트

목표 RPE 8 - 매우 힘들다.

03 스플릿 스쿼트

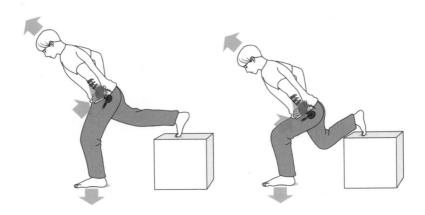

목적 : 허리 & 엉덩이 지지력 보강, 고관절 움직임 보강

① 한쪽 다리는 뒤쪽 상자에 올린다.

② 앞쪽 다리를 가볍게 구부리고 몸통을 앞으로 기울인다.

③ 호흡을 들이마시고 복압을 만든다.

④ 앞쪽 다리에 중심을 온전히 싣는다.

⑤ 힙힌지와 무릎을 구부리면서 중심이 아래쪽으로 내려간다.

⑥ 내려가서 3-5초 동안 유지하면서 호흡은 참으면서 높은 복압을 유지한다.

⑦ 발바닥으로 지면을 밀고 일어서면서 호흡을 내쉰다.

포인트

움직임(힙힌지), 무릎(구부러짐)을 이용해서 중심이 아래쪽으로 내려가야 한다.

운동량(저항 × 횟수 × 세트)

체중(앞쪽 한 발 지지) × 왕복 10회(3–5초 유지) × 3–5세트

목표 RPE 7.5 – 상당히 힘들다.

03

올바른 스플릿 스쿼트와
잘못된 스플릿 스쿼트

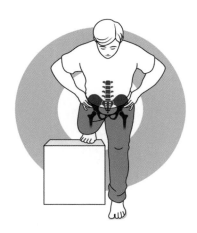

올바른 스플릿 스쿼트

---

1) 허리
- 곧은 허리는 지지를 만든다.

2) 엉덩이
- 엉덩이의 올바른 정렬이 지지를 만든다.

3) 무릎
- 무릎의 정렬을 바닥과 수직으로 유지한다.

잘못된 스플릿 스쿼트

1) 허리
- 허리가 옆으로 휘어지면 허리의 지지가 무너진다.

2) 엉덩이
- 엉덩이의 바깥쪽으로 빠지면서 허리의 지지가 무너진다.

3) 무릎
- 무릎이 안쪽으로 모이면서 허리의 지지가 무너진다.

03 스플릿 스쿼트 -

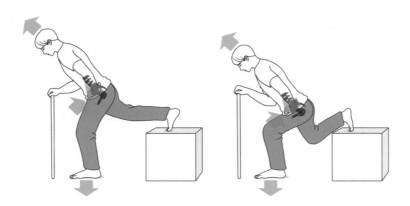

목적 : 스플릿 스쿼트 운동강도 낮추기

- 앞쪽 발과 반대 손으로 스틱을 짚는다.
- 스틱의 지지는 허리와 엉덩이의 지지를 보충해 주고 운동강도를 낮춰준다.
- 올바른 동작은 허리에 가해지는 외력을 줄여주고 지지력을 보강하는 데 도움
  이 된다.

운동량(저항 × 횟수 × 세트)
(앞쪽 한 발 지지–스틱) × 왕복 10회(3–5초 유지) × 3–5세트

목표 RPE 7.5 – 상당히 힘들다.

03 스플릿 스쿼트 +

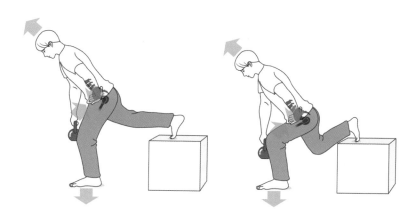

목적 : 스플릿 스쿼트 운동강도 높이기

- 앞쪽 디딤발과 반대 방향으로 무게(케틀벨, 덤벨 등)를 든다.
- 무게는 저항을 늘리고 운동량을 높여준다.
- 적극적으로 무게를 활용하여 지지력을 높은 수준으로 보강한다.

운동량(저항 × 횟수 × 세트)

(앞쪽 한 발 지지+케틀벨) × 왕복 10회(3-5초 유지) × 3-5세트

목표 RPE 8 – 매우 힘들다.

5단계
Strong

최종 단계를 하기 전에 분명 허리통증과 작별인사를 했을 거라 믿습니다. 마지막 5단계 Sstrong는 허리통증을 해결하는 것을 넘어 더 튼튼하고 강력한 허리를 만드는 단계입니다. S단계를 제대로, 꾸준히 하게 되면 가끔 바닥에 있는 무거운 상자를 들어도, 나쁜 자세로 하루종일 책상에 앉아 있어도, 접촉사고가 나더라도 삐끗하지 않는 튼튼한 허리를 만들 수가 있습니다. 최종 단계까지는 운동하는 것은 투 머치Too much라는 생각하실지도 모르겠습니다. 하지만 우리는 엄청난 이득을 얻을 수 있습니다.

바로 노화의 역행입니다. 앞서 허리 질환은 대부분 퇴행성 질환이고 근본적인 원인은 노화가 아니라 기능 저하라고 했습니다. 반대로 기능을 제대로 보강하면 퇴행성 질환은 발생하지 않습니다. 그 기능은 원래 가진 것보다 높은 지지력입니다.

그 증거는 심심치 않게 주변에서도 쉽게 볼 수가 있습니다. 공원에 나가서 관찰해 보면 노인이라는 말이 무색할 정도로 허리가 꼿꼿하게 잘 걸어 다니시는 건강하신 분들이 있습니다. 고령의 나이에도 전 세계를 다니면서 마라톤 풀코스를 완주하는 멋진 분들도 있습니다. 앞서 소개했던 고 황국희 여사님도 노화를 역행하고 멋진 삶을 사셨습니다. 뛰어난 유전자를 타고난 상위 몇 프로가 아닙니다. 본인만의 루틴을 꾸준히 실천한 사람들입니다.

이 루틴을 ADIOS 운동을 기반으로 만든다면 훨씬 더 효과적으로 최상위 몇 프로의 튼튼한 허리를 만들 수 있습니다. 그러면 허리디스크가 의심돼서 마음을 졸이며 건강검진을 할 때마다 MRI를 찍지 않아도 되고, 수술을 해야 되나 말아야 되나 고민하지 않아도 되고, 나이 들면 누구나 허리가 아프다는 남들이 하는 말을 한 귀로 듣고 한 귀로 흘리실 수 있습니다.

누구나 할 수 있습니다. 평생토록 자유로운 움직임을 누리며 건강하고 행복한 삶을 스스로 만들어가시길 응원합니다.

당신의 선택과 행동에 달렸습니다.

S1 싱글 데드리프트

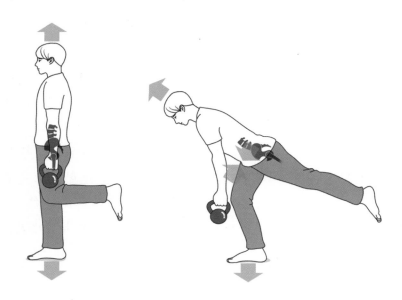

목적 : 허리 & 엉덩이 지지력 보강, 고관절 움직임 보강

① 한쪽 손에 중량(케틀벨)을 들고 같은 쪽 다리를 뒤로 들어 올린다.

② 호흡을 들이마시고 복압을 만든다.

③ 지면을 딛고 있는 다리의 무릎을 가볍게 구부리고 몸통을 앞으로 기울인다.

④ 발바닥에 체중을 온전히 싣는다.

⑤ 힙힌지와 무릎을 구부리면서 중심이 앞으로 쏟아지는 느낌을 갖는다.

⑥ 2-3초 동안 유지하면서 호흡을 참고 높은 복압을 유지한다.

⑦ 발바닥으로 지면을 밀고 일어서면서 호흡을 내쉰다.

포인트

고관절의 움직임(힙힌지), 무릎(구부러짐)을 이용해서 상체 중심이 앞쪽, 아래쪽으로 내려가야 한다.

운동량(저항 × 횟수 × 세트)

(한 발 지지+케틀벨) × 왕복 10회(2-3초 유지) × 3-5세트

목표 RPE 8 - 매우 힘들다.

S1

올바른 싱글 데드리프트와
잘못된 싱글 데드리프트

올바른 싱글 데드리프트

---

1) 허리
– 허리의 정상 만곡을 유지하면 지지력이 만들어진다.

2) 고관절
– 힙힌지를 제대로 하면 허리의 지지력이 만들어진다.

잘못된 싱글 데드리프트

1) 허리
- 허리가 과도하게 젖혀지면 지지가 무너진다.

2) 고관절
- 고관절의 움직임이 저하되면 지지가 무너진다.

올바른 싱글 데드리프트

---

1) 허리
– 곧은 허리는 지지를 만든다.

2) 엉덩이
– 엉덩이의 올바른 정렬이 지지를 만든다.

3) 무릎
– 무릎의 정렬을 바닥과 수직으로 유지한다.

잘못된 싱글 데드리프트

---

1) 허리
－ 허리가 옆으로 휘어지면 허리의 지지가 무너진다.

2) 엉덩이
－ 엉덩이의 바깥쪽으로 빠지면서 허리의 지지가 무너진다.

3) 무릎
－ 무릎이 안쪽으로 무너지면서 지지가 무너진다.

S2 케틀벨 데드리프트

목적 : 허리 & 엉덩이 지지력 보강, 고관절 움직임 보강

① 양손에 중량(케틀벨)을 들고 어깨너비로 선다.

② 호흡을 들이마시고 복압을 만든다.

③ 무릎을 가볍게 구부리면서 몸통을 앞으로 기울인다.

④ 양발바닥에 체중을 온전히 싣는다.

⑤ 힙힌지를 이용해서 중심이 앞쪽, 아래쪽으로 내려간다.

⑥ 내려가서 2-3초 동안 유지하면서 호흡은 참고 높은 복압을 유지한다.

⑦ 발바닥으로 지면을 밀고 일어서면서 호흡을 내쉰다.

포인트

중량이 높아질수록 복압을 견고하게 유지해야 한다.

고관절의 움직임을 적극 활용해야 한다.

운동량(저항 × 횟수 × 세트)

(체중+케틀벨) × 왕복 10회(2-3초 유지) × 3-5세트

목표 RPE 7.5 - 상당히 힘들다.

올바른 케틀벨 데드리프트와
잘못된 케틀벨 데드리프트

올바른 케틀벨 데드리프트

---

1) 허리
- 허리의 정상 만곡을 유지해야 지지력이 만들어진다.

2) 고관절
- 힙힌지가 제대로 되어야 허리의 지지력이 만들어진다.

잘못된 케틀벨 데드리프트

---

1) 허리

- 허리가 뒤로 젖혀지면 지지가 무너진다

2) 고관절

- 힙힌지가 제대로 되지 않으면 허리의 지지가 무너진다.

S3 케틀벨 스윙

목적 : 허리 & 엉덩이 지지력 보강, 고관절 움직임 보강

① 호흡을 들이마시고 복압을 만든다.

② 케틀벨을 들어 올리고 힙힌지를 적극 활용해서 케틀벨을 엉덩이 뒤쪽으로 보낸다.

③ 짧고 강하게 호흡을 뱉으면서 케틀벨을 앞으로 던진다.

④ 양발로 지면을 강하게 누르고 최대한 높게 선다.

⑤ 케틀벨이 다시 내려올 때 호흡을 마시고 복압을 강하게 만든다.

⑥ 고관절의 움직임을 느끼면서 리듬감 있게 반복한다.

포인트

중량을 들고 힙힌지를 반복 훈련해서 완전하게 익힌다

운동량(저항 × 횟수 × 세트)

(체중+케틀벨) × 왕복 15-20회 × 3-5세트

목표 RPE 8 - 매우 힘들다.

올바른 케틀벨 스윙과
잘못된 케틀벨 스윙

올바른 케틀벨 스윙

---

1) 허리
– 허리의 정상 만곡으로 견고한 지지를 유지한다.

2) 고관절
– 고관절을 제대로 움직여서 허리의 정상 만곡으로 견고한 지지를 유지한다.

잘못된 케틀벨 스윙

---

1) 허리
- 허리의 과도한 젖힘은 지지가 무너진다.

2) 고관절
- 고관절의 움직임 저하는 허리를 젖히게 되고 지지가 무너진다.

6장

전략

같은 학교, 같은 교실, 같은 선생님에게 배운다 해도 학생들의 학업성취도는 천차만별입니다. 열 가지를 알려준다면 어떤 학생은 열 가지를 다 알고 응용까지 하기도 합니다. 반면에 다른 학생은 전혀 학습이 되지 않아서 아무것도 모를 수도 있습니다.

마찬가지로 여러분이 ADIOS 운동을 하면 통증이 해결되는 정도는 완전히 다를 수가 있습니다. 누군가는 통증이 완전하게 개선되고 삶의 질이 높아지기도 하지만, 또 다른 사람은 오히려 더 악화되어 삶의 질이 추락할 수도 있습니다.

뭐가 문제일까요?

"아직도 몰라?" 선생님이 이렇게 말하는 것은 학습 목표(허리통증의 완전한 개선)에 아무런 도움이 되지 않습니다. 학생에게 좌절감만 심어주게 됩니다. 분명 학생 입장에서도 하고 싶은데도 잘 안 되는 경우가 많습니다. 이해가 되지 않아서, 하고 있는 방법이 잘못되어서, 확신이 들지 않아서와 같은 다양한 이유가 있을 것입니다.

제대로 학습하려면 모든 사람을 직접 만나서 일일이 레슨을 하면서 허리의 지지력 수준을 파악하고, 부족한 부분을 체크하고, 실시간으로 피드백을 주고받으면서 운동을 하면 됩니다. 가장 효과적인 방법이지만 안타깝게도 그럴 수가 없습니다.

그렇다면 방법은 하나뿐입니다. 스스로 명확한 가이드라인을 잡는 것입니다. 운동을 어떻게 할 것인지를 체계적인 계획을 잡고, 핵심 목표를 정해야 합니다. 그리고 어떤 마음가짐으로 실천해 나갈지 확실하게 정해야 합니다.

이를 전략戰略이라고 합니다. ADIOS 운동을 전반적으로 어떻게 이끌어가느냐에 따라서 통증이 완전히 개선될 것인지, 적당히 개선될 것인지가 정해지게 됩니다. 지긋지긋한 허리통증과 완전히 작별인사를 하기 위해 빈틈없는 전략을 짜보겠습니다.

여러분 모두가 우등생으로 졸업하시길 희망합니다.

차근차근하자

전반전 전략

5단계로 구성된 ADIOS 운동을 해보면 특히 A^awareness의 호흡은 따라 하기 굉장히 쉽습니다. 매일 매 순간 하고 있는 호흡은 특별히 어렵지 않습니다. 복식 호흡은 몇 번 연습을 해보면 충분히 따라 할 수 있습니다. 누워서 하는 아기자세도 마찬가지입니다. 난이도가 어렵지도 않고 운동량이 높지 않아서 쉽게 따라 할 수가 있습니다.

그러다 보니 상대적으로 지루하고 재미가 없습니다. 결국 많은 사람들이 이 과정을 대충 넘어가고 점프합니다. 3번째 단계인 I^input운동을 해야 근육도 자극이 가해지고 뭔가 운동이 되는 듯한 느낌을 받게 됩니다. A를 대충 건너뛰고 I를 하게 되면 허리통증은 개선되지 않습니다. 바로 '제대로'가 빠졌기 때문입니다.

가장 기초적인 지지를 만드는 복식 호흡이 제대로 되지 않는다면 코어는 활성화되지 않습니다. 무슨 운동을 하든 간에 허리의 견고한 지지력이 만들어지지 않습니다.

허리의 기초 지지력은 언제부터 무너졌는지 모릅니다. 학창시절에 책상에 오래 앉아 있으면서부터 망가졌는지도 모르고, 직장생활에서 야근을 하면서부터인지도 모릅니다. 가사일을 하거나 육아를 하면서 그랬을 수도 있고, 개인적인 취미생활을 하면서부터 시작되었을지도 모릅니다. 분명 언제부터 코어의 활성화가 제대로 되지 않고 움직이게 되면서부터 지지력이 망가지게 되었습니다.

기초가 무너지고 스트레스가 누적되면서 허리의 지지력이 한도에 다다르면 발생하는 것이 통증입니다. 누군가는 20대부터 통증이 나타날 수도 있고, 누군가는 60대에 나타날 수도 있습니다. 이 모든 허리통증의 시작은 호흡입니다.

그만큼 기초 단계인 A가 중요합니다. 저에게 어느 단계가 가장 중요한지 묻는다면 주저 없이 A라고 대답할 것입니다. 이 책을 기획하고 ADIOS 운동이라는 어원은 Awareness라는 단어에서 시작되었습니다. 그만큼 기초를 잘 쌓아야 지지력을 차근차근 쌓아나갈 수가 있습니다.

Q. 언제까지, 얼마나 A를 해야 되는 건가요?
A. 수시로 매일요. 다만 인지만 하세요.

앞서 설명했듯이 A는 운동량volume이 중요하지 않습니다. 인지를 하는 단계입니다. A를 제대로 한다는 것은 호흡을 제대로 인지하는 것입니다. 대부분의 시간을 의자에 앉아 있는 좌식 생활을 하면서 복식 호흡 패턴이 망가지게 됩니다. 또한 스마트폰을 쥐고 있는 현대인들은 시간을 쪼개면서 업무, 공부, 육아 등을 하면서 빠르게 움직입니다. 신체가 흥분된 상태가 되면 깊은 호흡을 하지 못합니다. 호흡은 복부로 내려가지 않고 흉부에서 머물게 됩니다. 복식 호흡을 제대로 하지 못하고 흉식 호흡을 하면서 복압이 만들어지지 않고 허리의 지지력은 망가지게 됩니다.

잠깐 제 얘기를 하겠습니다. 태어나서 처음 책을 쓰면서 정말 많은 시간을 키보드 앞에서 보냈습니다. 반나절을 넘게 앉아서 글을 쓰면서 보낸 적도 많습니다.

그렇다면 저는 허리가 아플까요? 안 아플까요?

아픕니다. 오랫동안 앉아서 집중하게 되면 모니터 안으로 점점 몸이 구부러집니다. 한참 동안 글을 쓰고 자리에서 일어나면 허리의 뻐근함이 느껴집니다. 보통 이런 상황이면 대부분 일어서서 만세도 하고 허리도 돌리면서 스트레칭을 합니다. 저는 이런 스트레칭을 하지 않습니다.

저는 코어를 스트레칭합니다.

공기를 최대한 많이 들이마시고 복식 호흡을 합니다. 복부를 최대한 부풀리면서 강한 복압을 만듭니다. 코어의 횡격막이 늘어나면서 스트레칭 되는 효과가 있습니다. 복압은 원래대로 되돌아오면서 허리 시스템이 재시작됩니다. 즉, A를 하는 것입니다. 이렇게 가끔 허리통증이 느껴지면 바로 사라지게 만들 수도 있습니다.

근본적인 원리를 알면 스스로 허리통증을 대처할 수 있습니다. 자신만의 루틴을 만들어서 허리통증을 어르고 달래보시기 바랍니다.

후반전 전략

A가 가장 중요하다고 했습니다. 다만 말 그대로 기초입니다. 누워서 A를 하는 것만으로는 절대 견고한 지지력이 만들어지지 않습니다. 코어를 활성화하는 것뿐이고 지지력을 보강하려면 저항운동으로 근육을 강화해야 합니다.

I부터 본격적으로 저항운동을 하면서 지지력을 보강해 나가고 우리의 일상생활과 밀접한 관련이 있는 직립운동 O^{output}까지 꾸준히 나아가야 합니다. 단계를 높여가면서 반드시 문제가 발생하게 됩니다. 바로 통증입니다. 운동으로 인한 허리에 가해지는 외력이 늘어나면 통증이 발생합니다. 통증은 허리의 저항력의 한도를 초과하면 나타나는 경고이기 때문입니다. 이때부터 약간 혼란스럽습니다.

운동을 해야 되는 거야, 말아야 되는 거야….

이때 전략은 ADIOS 운동 단계를 낮춰주면 됩니다. 다시 앞으로 돌아가면 됩니다. O에서 통증이 발생했다면 직립운동을 하는 데 지지력이 충분치 않은 것입니다. 다시 I로 돌아가서 지지력을 보강하고 다시 O로 넘어가면 됩니다. I에서도 통증이 있다면 D로 돌아가면 됩니다. 그런데 이 기준이 참 애매합니다. 통증이 심하지는 않아서 할 수는 있는데 이걸 참고 해야 하는 건지, 중단해야 하는 건지 판단하

CHATPER 6

전략

기가 쉽지 않습니다. 이를 효과적으로 판단하기 위해 통증평가척도 Visual Analogue Scale로 기준을 정하면 됩니다.

통증평가척도

10점은 극심한 통증입니다. 운동을 중단하고 움직이는 것도 멈춰야 합니다. 무조건 안정을 취해야 하는 시기입니다. 가만히 누워서 복식 호흡만 하면서 통증이 감소되기를 기다려야 합니다.

5점은 어느 정도 통증을 느끼는 상태입니다. 참고 넘어갈 정도가 아니라 꽤 아픈 상태입니다. 이때 통증을 참고 운동을 하다가 자칫 잘못하면 더 심해질 수가 있습니다. 이전보다 통증이 심해지면 일상 생활에 불편함을 느끼게 되니 반드시 운동 단계를 낮춰야 하는 단계입니다.

중요하게 봐야 할 포인트는 3점입니다. 통증이 조금 있긴 하지만 크게 불편하지는 않고 움직이는 데도 큰 지장이 없는 상태입니다. 통증을 조절하면서 운동 단계를 차근차근 늘려나가면 됩니다.

3점 이하라면 운동을 해도 아무런 문제가 없습니다. 오히려 작은 통증에 스스로 겁을 먹고 움직이지도 않고 운동을 하지 않는다면 지지력은 점점 감소하게 됩니다. 시간이 지날수록 허리통증은 더 악화됩니다.

통증은 두려워하는 대상이 아닌 경고신호입니다. 통증에 겁먹지

말고 통증평가척도를 기준으로 스스로 통증을 관리하면서 차근차근 운동을 해나가시길 바랍니다. 그래야 궁극적인 목적인 견고한 지지력을 완성시키고 통증에게 세련된 작별인사를 할 수가 있습니다.

하나같이 하자

ADIOS 운동은 각 단계의 목적에 맞게 5단계로 분류했습니다. 하지만 5단계는 결국 하나입니다. 모두 하나로 연결되어 있습니다.

하루에 1시간 운동을 한다고 가정해 보겠습니다. A를 집중적으로 하기 위해 1시간 내내 매트에 누워서 호흡운동만 한다고 지지력이 보강되지 않습니다. 마찬가지로 S를 1시간 동안 수십 세트씩 하게 되면 근육에 피로감이 발생하고 지지력이 무너지는 역효과가 나타날 수도 있습니다. 하나만을 선택해서 운동하는 것은 효율이 굉장히 떨어지게 됩니다.

효과적인 운동을 위해 유기적으로 단계를 조절하면서 운동 프로그램을 구성해야 합니다. 30분 운동을 하면서 ADI를 할 수도 있고, 1시간 운동 프로그램으로 ADIOS 모두를 할 수도 있습니다. 상황에 따라 얼마든지 자유롭게 설정할 수 있습니다.

허리통증이 심하고 지지력이 완전히 무너진 운동초보자는 기초 단계부터 완전하게 습득을 해야 합니다. 하루 30분 운동을 한다고 하면 A를 10분 동안 하고 D를 20분 동안 하면 됩니다. A와 D를 한번 운동에 같이하는 것입니다.

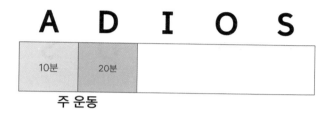

A와 D를 습득했고 통증은 어느 정도 완화되어 I 단계를 통해 본격적으로 지지력을 보강할 차례입니다. 이때는 A와 D를 10분간 준비운동으로 하고, 나머지 20분 동안에 I 단계로 운동 프로그램을 구성합니다. 준비운동을 하면서 기초를 체크하고 나서 본격적으로 지지력을 보강하는 I가 주운동이 됩니다.

수개월 동안 ADIOS 운동을 제대로, 꾸준히 해서 통증이 거의 다 해결된 사람을 예로 들어보겠습니다. 이 사람은 앞으로도 허리통증이 발생하지 않게 더욱 견고한 지지력을 보강해 나갈 계획을 세웠습

니다. 그래서 마지막 S를 완전히 마스터하려고 합니다. 이때는 운동 프로그램을 하루에 다 할 수 있게 구성하면 됩니다. A.D.I.를 준비운동으로 합니다. 그리고 직립자세에서 지지력을 보강하는 운동인 O와 튼튼한 지지를 만들기 위한 S를 합니다.

이런 경우는 어떨까요? S까지 완벽하게 마스터하고 통증이 사라졌습니다. 그러다 어느 날 사내 체육대회에서 줄다리기를 하다가 갑자기 허리를 삐끗했습니다. 지지력이 무너지진 않았지만 갑작스러운 외력으로 급성 통증이 발생한 경우입니다. 이때는 S를 잠시 중단하고 다시 앞 단계로 돌아가서 통증을 조절하면서 차근차근 단계를 늘려나가면 됩니다.

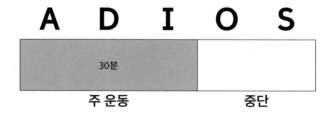

그렇다면 저는 어떻게 할지 궁금하지 않으신가요? 최대 효율을 위

해 이렇게 프로그램을 구성해 보겠습니다. A.D.I.를 홈 트레이닝으로 합니다. 집에서 1세트씩만 한다면 10분 내로 충분히 할 수가 있습니다. 그리고 체육관에 가서 운동을 하면 O를 준비운동으로 하고, S를 주운동으로 합니다. 시간을 효율적으로 사용하고 튼튼하게 지지력을 보강하는 프로그램을 구성할 것입니다.

ADIOS 운동 프로그램은 통증 정도, 지지력 차이에 따라 다양하게 만들 수가 있습니다. 5단계는 각각이 아닌 지지력을 보강하기 위한 목적으로 하나로 연결되어 있습니다. 여러분의 상황에 맞춰서 프로그램을 구성하고 효과적으로 지지력을 보강하시길 바랍니다.

CHAPTER 6

목적을
중요시하자

ADIOS 운동을 시작하면 사람에 따라 천차만별입니다. 운동을 하는 두 사람이 있다고 가정해 보겠습니다. A는 한 달 만에 5단계를 모두 마스터하고 최종 S 단계를 자유자재로 합니다. 당연히 통증도 순식간에 개선되었습니다. 반면에 B는 몇 달 동안 열심히 따라 했음에도 기초 단계를 넘어가지 못하고 있습니다. 통증은 그나마 조금 개선이 되었지만 여전합니다. ADIOS 운동이 별 효과가 없는 것처럼 느껴집니다.

당신은 A인가요? B인가요?

누구나 자신이 A이기를 바랄 것입니다. 하지만 허리통증으로 고생하는 대다수의 사람들은 B에 해당됩니다. 당신이 B라면 A를 보면 무슨 생각이 들까요? 짜증 납니다. 분명 시간도 많이 투자하고 운동도 더 열심히 하는 거 같은데 빨리 통증이 해결되지 않기 때문입니다. 그러면 이런 생각이 절로 듭니다. ADIOS 운동은 특정 사람에게나 잘 맞을 뿐 나에게는 맞지 않는 방법이라고 생각하시게 됩니다.

무슨 차이로 B는 A만큼 안 될까요?

체력physical 차이입니다. 체력에 따라서 ADIOS 운동의 학습은 엄청나게 차이가 납니다. 체력을 결정하는 것은 수많은 요소가 있습니다. 나이, 성별, 유전적 요인, 운동 능력 등 여러 조건으로 체력 수준이 차이 나게 됩니다. 체력의 차이로 ADIOS 운동 속도가 달라지게 됩니다.

체력이 뛰어난 사람을 레슨해 보면 확실히 알 수가 있습니다. 운동을 습득하는 속도가 엄청나게 빠릅니다. I까지 운동을 한 세션 레슨만으로 완전히 익힙니다. 운동 강도를 쉽게 올리고 순조롭게 진도를 나갈 수가 있어서 2-3개월 정도만 제대로 운동을 하면 통증이 90% 이상 개선됩니다.

반면에 체력이 약한 사람은 속도가 느립니다. 열심히 운동하는데도 습득이 되지 않고 효과가 지지부진합니다. 운동 단계를 넘어가려고 하면 통증이 발생해서 쉽게 넘어가지 못하게 됩니다. 이 상황이 지속되면 어떻게 될까요? 정신적으로 지치게 됩니다. 운동은커녕 당장 병원에 가서 통증을 없애버리고 싶은 마음뿐입니다. 그렇다면 질문을 하나 해보겠습니다.

단계를 빨리 넘어가는 게 중요할까요?

ADIOS 운동 단계를 빨리 넘어가는 게 목적이 아닙니다. 운동을 남들보다 잘하는 게 목적이 아닙니다. 허리와 엉덩이의 지지력을 보강하고 허리통증을 개선하는 게 핵심입니다.

기초 단계인 A와 D만으로도 무너진 지지력이 보강되고 통증이 90% 이상 개선될 수도 있습니다. 다만 신체 지지를 완전하게 만들기 위해서는 최소 O단계까지는 해야 합니다.

반대로 S단계를 능숙하게 하는 사람도 허리통증이 재발할 수가 있습니다. 운동량을 조절하지 못해서 오버트레이닝을 하게 되면 허리는 피로해지고 통증이 나타날 수도 있습니다.

그래서 중요한 것은 나에게 맞추는 것입니다. 자신의 체력 수준에 맞춰서 ADIOS 운동을 해야 합니다. 통증은 기초 단계에서 사라질 수도 있고, O단계까지 해야 사라질 수도 있습니다. 언제 사라질지 저도 모릅니다. 사람마다 완전 다릅니다.

나는 왜 안 되지?

이런 마음을 갖지 마시기 바랍니다. 체력의 차이로 지지력이 보강되는 속도가 달라지게 됩니다. 오랜 시간에 걸쳐 신체의 지지력이 저하되고 체력도 약하다면 통증이 개선되는 속도는 상대적으로 느리게 될 것입니다. 허리가 선천적으로 약한 것도 아니고, 허리통증을 평생 달고 사는 운명도 아닙니다. 지지력이 저하된 결과일 뿐입니다.

그러므로 운동의 목적은 지지력을 보강하는 것입니다. 어느 단계를 하든 간에 지지력을 보강하는 운동이고 통증이 개선되는 속도는 저마다 다를 것입니다. 속도를 내지 않으셔도 됩니다. 핵심은 제대로, 꾸준히 입니다.

빡세게 하자

ADIOS 운동을 제대로, 꾸준히 한두 달만 하면 동작을 몸에 익히고 어느 정도 지지력이 보강되었을 것입니다. 지지력이 보강되는 만큼 허리통증도 조금씩 줄어들게 됩니다. 당장 불편함이 사라지게 되면 누구나 이렇게 생각합니다.

'이 정도면 됐다.'

운동하는 게 귀찮아집니다. 점점 운동을 소홀히 하게 되고 운동빈도가 줄어들게 됩니다. 바쁘다는 핑계로 중단하기도 합니다. 지지력은 적당히 유지되다가 점점 저하되고 허리통증은 재발하게 됩니다. 다시 적당히 불편함이 없는 정도까지 지지력을 보강하려고 다시 운동을 합니다. 처음보다는 수월하게 지지력은 확보되고 당장의 불편함은 사라지게 됩니다. 계속 적당한 상태를 유지하다가 또다시 원래대로 돌아갑니다. 그리고 이렇게 결론을 내립니다.

'허리통증이 완벽히 낫는 건 불가능해.'

이 과정이 반복되면서 신체적, 정신적으로 힘들어지고 허리통증과 완전히 작별인사를 할 수가 없게 됩니다. 이 악순환을 끊어내기 위해서는 보다 높은 수준으로 지지력을 보강해야 합니다. 허리통증이 적당히 사라질 정도의 지지력이 50이라면, 100까지 지지력을 보강해야 허리통증이 완전히 개선됩니다. 이를 위해서는 꾸준히 오랜 기간 동안 훈련을 해야 합니다.

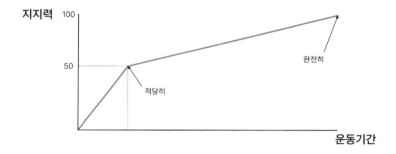

적당히 개선되는 데 10이라는 시간이 필요하다면 완전히 개선되는 데는 100 정도가 필요합니다. 직접 허리 환자들을 레슨해 보면 체력에 따라 다르지만 보통 한두 달이면 통증이 많이 호전됩니다. 그리고 완전하게 통증이 사라지려면 적어도 1년 이상 운동을 꾸준히 해야 했습니다. 허리통증이 발생했다는 것 자체가 이미 오래전부터 지지력이 무너진 것이고 이를 완전히 회복하기 위해서는 생각보다 많은 시간이 필요합니다.

그리고 완전하게 통증이 개선되기 위해선 반드시 필요한 것이 있습니다. 제대로 운동량을 설정하는 것입니다. 어떤 운동이든지 계속하다 보면 어느 순간부터는 적응이 됩니다. 별로 힘들지 않게 운동을 할 수가 있습니다. 이때 반드시 운동량을 늘려야 지속적으로 지지력이 보강됩니다.

I에서 브릿지, 플랭크 운동은 사실 몇 번만 해보면 어렵지 않게 할 수가 있습니다. 금방 적응됩니다. 그래서 브릿지+, 플랭크+로 운동량을 높여나가야 합니다. 하지만 이것마저도 분명 한계가 있습니다. 그래서 네 번째 단계인 O가 굉장히 중요합니다. 눕거나 엎드려서 하는 운동이 아닌 직립자세에서 한 발로 하는 운동은 확실하게 운동량을 늘릴 수가 있습니다. 또한 상황에 맞게 적절한 중량(덤벨, 케틀벨 등)을 추가해서 운동을 하면 가장 효과적으로 운동량을 늘려나갈 수가 있습니다. 그렇게 해야만 지지력이 100까지 보강되고 허리통증과 완전히 작별인사를 할 수가 있습니다.

이를 넘어 마지막 단계인 S를 제대로, 꾸준히 하면 지지력은 100을 넘어서 120, 150까지도 만들 수가 있습니다. 허리통증은 내 얘기가 아닌 남의 얘기가 됩니다.

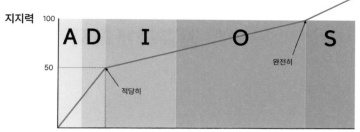

견고한 지지력을 만들려면 생각보다 빡세게 해야 합니다. 빡세게 한다는 것은 정말 제대로, 꾸준히 하는 것입니다. 그래야 몸에 지지력을 안착시킬 수가 있습니다.

완전하게 안착되어야 아무 생각 없이 무의식으로 움직여도 허리가 삐끗하는 일이 없어집니다. 자유롭게 움직이면서 산책도 하고, 여행도 다니고, 쇼핑도 하고, 데이트도 하면서 무거운 짐도 대신 들어주는 자유롭고 행복한 삶을 살 수가 있습니다.

이를 위해서는 빡세게 해야 합니다. 그래야 허리의 견고한 지지력이 만들어집니다. 꼭 제대로 꾸준히 해보시기 바랍니다.

간결하게 하자

　네이버, 유튜브에 허리 재활운동이라고 검색하면 수백 가지 운동이 나옵니다. 의사, 물리치료사, 트레이너, 재활운동 전문가, 필라테스 강사 등 수많은 사람들이 운동을 소개합니다. 누구는 이렇게 하라 하고, 또 다른 누구는 이렇게 하면 안 된다고 합니다. 조금씩 다른 방법에 듣고 보는 사람은 더 헷갈리게 됩니다. 이 책을 통해 말하고 싶은 허리통증을 완전히 개선하기 위한 운동의 기준은 명확합니다.

지지력을 보강하는 운동 = 효과적인 운동
지지력의 보강과 관련 없는 운동 = 효과적이지 않은 운동

　많은 사람들이 허리통증을 완화하기 위한 목적으로 스트레칭을 합니다. 그러면 스트레칭으로 지지력이 보강될까요? 별로 관련이 없습니다. 허리를 구부리고, 펴고, 돌리는 스트레칭은 허리에 불필요한 움직임이 발생합니다. 외력이 가해지고 오히려 통증을 악화시키는 원인이 될 수도 있습니다. 그래서 실제로 레슨할 때 허리 스트레칭은 시키지 않습니다. 허리통증을 완화시키는 데 별 도움이 되지 않기 때문입니다.

그렇다면 최고의 허리 재활운동이라고 불리는 걷기는 어떨까요? 체력이 많이 저하되고 걷는데도 지지력이 충분치 않은 사람은 걷기가 도움이 됩니다. 바른 자세로 걷는 것만으로도 지지력이 보강되는 효과가 있습니다. 하지만 딱 거기까지입니다. 지지력이 보강될수록 걷기는 점점 효과가 떨어지게 됩니다. 허리와 엉덩이의 견고한 지지력을 보강하는 데는 명확한 한계가 있습니다. 그래서 오래 걷거나, 많이 걸어도 더 이상 지지력은 보강되지 않습니다.

허리에 무리가 가지 않는 수영이나 수중걷기는 어떨까요? 통증은 완화하는 데 효과는 있을지 몰라도 지지력이 보강되는 효과는 전혀 없습니다. 신체에 저항을 가하고 지지력을 보다 높은 수준으로 보강하는 것이 허리 재활운동의 핵심입니다. 물속에서는 부력으로 저항이 많이 줄어들게 됩니다. 이 상태에서 운동을 해도 허리에 필요한 지지력은 보강되지 않습니다.

그렇다면 ADIOS 운동이 최고네요?

아닙니다. ADIOS 운동은 정답이 아닙니다. 개개인의 상황에 맞게 지지력을 보강하는 운동이라면 모두 정답입니다. 체력이 급격하게 저하된 노인은 걷기가 정답일 수도 있습니다. 체력이 강한 사람에게는 걷기가 아무런 도움이 되지 않을 수도 있습니다. 상황에 맞게 운동 전략을 세우는 게 핵심입니다.

그래서 ADIOS 운동은 기초부터 심화까지 단계별로 구성하였습니다. 각 단계에서 저항을 높일 수도 있고 (+운동) 반대로 저항을 낮출 수도 있습니다. (−운동) 오로지 하나의 목적으로 체계적으로 만든 프로그램입니다. 충분히 이해하고 따라 하기 쉽게 꼭 필요한 운동만 간결하게 구성했습니다.

간결하게 제대로, 꾸준히 해보시기 바랍니다.

태어나서 처음으로 책을 쓰면서 수많은 시행착오가 있었습니다. 전체적인 글의 흐름이 맞지 않으면 몇 달 동안 쓴 원고를 엎고 다시 처음부터 쓰는 것을 수차례 반복했습니다. 그렇게 2년이 넘는 시간 동안 쉬지 않고 글쓰기를 했습니다.

정신적 체력이 한계에 다다를 때마다 정말 힘들었습니다. 극심한 피로감으로 두 번이나 번아웃이 와서 무기력증이 생기기도 했습니다. 그럴 때마다 모든 것을 내려놓고 포기하고 싶었습니다. 그럼에도 불구하고 허리가 아픈 사람들에게 진정으로 도움이 되는 메시지를 전달하고 싶다는 일념으로 멈추지 않았습니다.

글 쓰는 시간을 확보하려고 매일 5시 30분에 일어나서 글을 썼습니다. 하루종일 레슨을 하면서 스케줄이 비는 시간에는 어김없이 글을 썼습니다. 온라인 커뮤니티에 익명으로 글을 써서 테스트를 해보기도 했습니다.

이렇게 쉼 없이 달렸습니다. 그러면서 신체적 변화가 생겼습니다. 근육보다도 훨씬 중요한 머리카락이 날아갔습니다. 정수리 두 군데에 원형 탈모가 생겨서 더 이상 머리가 나지 않습니다. 피곤함을 억누르기 위해 커피를 너무 마셔서 위장장애도 겪었습니다. 뇌에 과부하가 걸려 두통을 달고 살았습니다. 그럴 때마다 마음속으로는 이렇게 생각했습니다.

'필력이 한계치에 가까워졌다는 신호일 뿐이다.
통증을 뛰어넘는다.'

글쓰기를 처음 시작했을 때에는 단 10줄을 쓰기도 힘들었습니다. 그냥 끄적거리는 개인의 일기가 아니라 누군가에게 도움을 주는 책을 써야 한다는 부담감이 저를 짓누르고 있었습니다.

조금이라도 좋은 글을 쓰기 위해 다양한 분야의 책을 100권 넘게 읽어가며 필사도 해봤습니다. 그 결과 10줄이 20줄이 되고 한 권의 책이 되었습니다. 계속된 훈련으로 필력筆力이 보강된 결과입니다. 이제 단문은 쉽게 쓸 수 있고, 한 권의 책을 다시 쓰라고 해도 자신 있습니다.

이런 태도를 갖는 데 많은 영향을 끼친 분이 있습니다. 제가 직접 레슨하고 있는 S 기업의 P 회장님입니다. 매주 2회씩 아침 7시에 레슨을 하고 있는 중입니다. 해외 출장으로 레슨을 빠지게 되면 다른 날로 스케줄을 변경해서 반드시 주 2회를 채우셨습니다. 그렇게 6년 동안 단 한 번도 빠지지 않고 레슨을 하셨습니다.

레슨이 없는 날에도 출근 전에 오셔서 땀 흘리며 유산소운동을 하십니다. 15년간 트레이너를 하면서 수많은 사람을 만났지만 성실함 만큼은 단연 1등입니다.

P 회장님은 48년생으로 올해 연세가 75세입니다. 레슨 때마다 28kg 케틀벨을 들고 데드리프트를 하십니다. 까다로운 밸런스 운동이나, 지루한 기초운동을 시키더라도 힘든 내색하지 않으시고 적극적으로 하십니다. 이렇게 운동하는 모습을 보는 다른 회원들이 저에게 이렇게 얘기합니다.

"워낙 건강이 타고나셔서 부럽다."

"유전자가 타고나신 것 같다."

과연 그럴까요? 저는 전혀 그렇게 생각하지 않습니다.

레슨을 하면서 이런 일이 있었습니다. 평소에 항상 해왔던 8kg 덤벨을 들고 운동을 했습니다. 갑자기 허리를 삐끗했고 그날 레슨을 바로 중단하게 되었습니다. 아니나 다를까 다음 날 아침 꼼짝하지도 못할 정도로 심한 허리통증이 발생했습니다. 자리에서 겨우 일어나서 출근을 하셨다고 했습니다. 그렇게 며칠간 쉬고 나서 급성 통증이 호전되고 나서 다시 레슨을 하게 되었습니다.

"불편을 드려 대단히 죄송합니다. 앞으로 조심하겠습니다."
"아니야. 허리가 이래가지고 쓰나. 더 열심히 해야지."

이 말을 듣고 순간 멍해졌습니다. 보통 이런 사건이 발생하면 회원에게 멱살 잡히지 않으면 다행입니다. PT는 더 이상 안 한다든지, 당장 환불해 달라는 컴플레인이 당연히 발생합니다. 하지만 박 회장님은 제가 생각했던 것과는 완전 다르게 말씀하셨습니다. 제가 말하지 않아도 허리통증의 본질을 꿰뚫고 계신 거 같은 느낌을 받았습니다.

이후 허리통증은 완전하게 개선되었고 지금도 여전히 힘든 운동을 시켜도 묵묵하게 열심히 하고 계십니다. 주말에 골프 라운딩을 나가시면 18홀을 모두 걸어 다니실 정도로 체력을 유지하고 계시고, 20살이 어린 후배들보다도 드라이버 거리가 멀리 나가는 장타자라고 합니다.

저는 이것만큼은 확신합니다.

제대로, 꾸준히 하면 뭐든지 할 수 있다는 것을.
그 무엇이든지.

완전히 낫는 단 하나의 발법

허리통증
아디오스

초판 1쇄 발행 2023. 1. 1.

지은이 정해중
감수 장세균 | **그림** 이선영
촬영 김선욱, 김지웅 | **모델** 임현희
펴낸이 김병호
펴낸곳 주식회사 바른북스

편집진행 김주영
디자인 최유리

등록 2019년 4월 3일 제2019-000040호
주소 서울시 성동구 연무장5길 9-16, 301호 (성수동2가, 블루스톤타워)
대표전화 070-7857-9719 | **경영지원** 02-3409-9719 | **팩스** 070-7610-9820

•바른북스는 여러분의 다양한 아이디어와 원고 투고를 설레는 마음으로 기다리고 있습니다.

이메일 barunbooks21@naver.com | **원고투고** barunbooks21@naver.com
홈페이지 www.barunbooks.com | **공식 블로그** blog.naver.com/barunbooks7
공식 포스트 post.naver.com/barunbooks7 | **페이스북** facebook.com/barunbooks7

ⓒ 정해중, 2022
ISBN 979-11-6545-964-2 03690